Das *Stunden-Buch*, 1905 erstmals erschienen, hat Rilkes Ruhm als Dichter begründet; es war das erste seiner Bücher, das populär wurde. Mehrere Generationen von Lesern, darunter viele Theologen, haben Rilke von diesem Buch her, das mit seinem Titel an die Laienbreviere des 16. Jahrhunderts erinnert, zu einem unermüdlichen Gottsucher stilisiert, einem großen ›homo religiosus‹. Für Rilke selbst war das *Stunden-Buch* kein orthodox-religiöses Gebetbuch; als er es im Mai 1905 Lou Andreas-Salomé beschrieb, der es gewidmet ist, sprach er von ihm als einem Buch, »gewoben aus Freude, Erkennen, Sehnsucht und Dank, Unterwerfung und Aufrichtung ‹. . .› schwingend im Inneren, so bebend bis in die Fundamente, so weit hinausreichend aus mir selbst. So sehr hinreichend zu Dir.« Zwischen den »Gebeten« des *Stunden-Buchs*, mit denen Rilke so etwas wie die Grundlage für ein neues, zukünftiges Selbst- und Weltverständnis der Menschheit legte, steht denn auch eines der schönsten an Lou gerichteten Liebesgedichte.

Rainer Maria Rilke, geboren am 4. Dezember 1875 in Prag, starb am 29. Dezember 1926 in Val-Mont (Schweiz).

insel taschenbuch 2685

Rainer Maria Rilke

Das Stunden-Buch

Rainer Maria Rilke
Das Stunden-Buch

Enthaltend die drei Bücher:

Vom mönchischen Leben
Von der Pilgerschaft
Von der Armut und vom Tode

Mit einem Nachwort
von Manfred Engel

Insel Verlag

Umschlagfoto: David Finn

Einmalige Sonderausgabe
insel taschenbuch 2685
Erste Auflage 2000

Vertrieb durch den Suhrkamp Taschenbuch Verlag
Satz: MZ-Verlagsdruckerei GmbH, Memmingen
Druck: Clausen & Bosse, Leck
Printed in Germany

1 2 3 4 5 6 – 05 04 03 02 01 00

Das Stunden-Buch

Enthaltend die drei Bücher:

Vom mönchischen Leben /
Von der Pilgerschaft /
Von der Armut und vom Tode

Gelegt in die Hände von Lou

Erstes Buch
Das Buch vom mönchischen Leben

(1899)

Da neigt sich die Stunde und rührt mich an
mit klarem, metallenem Schlag:
mir zittern die Sinne. Ich fühle: ich kann –
und ich fasse den plastischen Tag.

Nichts war noch vollendet, eh ich es erschaut,
ein jedes Werden stand still.
Meine Blicke sind reif, und wie eine Braut
kommt jedem das Ding, das er will.

Nichts ist mir zu klein und ich lieb es trotzdem
und mal es auf Goldgrund und groß,
und halte es hoch, und ich weiß nicht wem
löst es die Seele los...

Ich lebe mein Leben in wachsenden Ringen,
die sich über die Dinge ziehn.
Ich werde den letzten vielleicht nicht vollbringen,
aber versuchen will ich ihn.

Ich kreise um Gott, um den uralten Turm,
und ich kreise jahrtausendelang;
und ich weiß noch nicht: bin ich ein Falke, ein Sturm
oder ein großer Gesang.

Ich habe viele Brüder in Sutanen
im Süden, wo in Klöstern Lorbeer steht.

Ich weiß, wie menschlich sie Madonnen planen,
und träume oft von jungen Tizianen,
durch die der Gott in Gluten geht.

Doch wie ich mich auch in mich selber neige:
Mein Gott ist dunkel und wie ein Gewebe
von hundert Wurzeln, welche schweigsam trinken.
Nur, daß ich mich aus *seiner* Wärme hebe,
mehr weiß ich nicht, weil alle meine Zweige
tief unten ruhn und nur im Winde winken.

Wir dürfen dich nicht eigenmächtig malen,
du Dämmernde, aus der der Morgen stieg.
Wir holen aus den alten Farbenschalen
die gleichen Striche und die gleichen Strahlen,
mit denen dich der Heilige verschwieg.

Wir bauen Bilder vor dir auf wie Wände;
so daß schon tausend Mauern um dich stehn.
Denn dich verhüllen unsre frommen Hände,
sooft dich unsre Herzen offen sehn.

Ich liebe meines Wesens Dunkelstunden,
in welchen meine Sinne sich vertiefen;
in ihnen hab ich, wie in alten Briefen,
mein täglich Leben schon gelebt gefunden
und wie Legende weit und überwunden.

Aus ihnen kommt mir Wissen, daß ich Raum
zu einem zweiten zeitlos breiten Leben habe.

Und manchmal bin ich wie der Baum,
der, reif und rauschend, über einem Grabe
den Traum erfüllt, den der vergangne Knabe
(um den sich seine warmen Wurzeln drängen)
verlor in Traurigkeiten und Gesängen.

Du, Nachbar Gott, wenn ich dich manchesmal
in langer Nacht mit hartem Klopfen störe, –
so ists, weil ich dich selten atmen höre
und weiß: Du bist allein im Saal.
Und wenn du etwas brauchst, ist keiner da,
um deinem Tasten einen Trank zu reichen:
Ich horche immer. Gieb ein kleines Zeichen.
Ich bin ganz nah.

Nur eine schmale Wand ist zwischen uns,
durch Zufall; denn es könnte sein:
ein Rufen deines oder meines Munds –
und sie bricht ein
ganz ohne Lärm und Laut.

Aus deinen Bildern ist sie aufgebaut.

Und deine Bilder stehn vor dir wie Namen.
Und wenn einmal das Licht in mir entbrennt,
mit welchem meine Tiefe dich erkennt,
vergeudet sichs als Glanz auf ihren Rahmen.

Und meine Sinne, welche schnell erlahmen,
sind ohne Heimat und von dir getrennt.

Wenn es nur einmal so ganz stille wäre.
Wenn das Zufällige und Ungefähre
verstummte und das nachbarliche Lachen,
wenn das Geräusch, das meine Sinne machen,
mich nicht so sehr verhinderte am Wachen –:

Dann könnte ich in einem tausendfachen
Gedanken bis an deinen Rand dich denken
und dich besitzen (nur ein Lächeln lang),
um dich an alles Leben zu verschenken
wie einen Dank.

Ich lebe grad, da das Jahrhundert geht.
Man fühlt den Wind von einem großen Blatt,
das Gott und du und ich beschrieben hat
und das sich hoch in fremden Händen dreht.

Man fühlt den Glanz von einer neuen Seite,
auf der noch Alles werden kann.

Die stillen Kräfte prüfen ihre Breite
und sehn einander dunkel an.

Ich lese es heraus aus deinem Wort,
aus der Geschichte der Gebärden,

mit welchen deine Hände um das Werden
sich ründeten, begrenzend, warm und weise.
Du sagtest *leben* laut und *sterben* leise
und wiederholtest immer wieder: *Sein*.
Doch vor dem ersten Tode kam der Mord.
Da ging ein Riß durch deine reifen Kreise
und ging ein Schrein
und riß die Stimmen fort,
die eben erst sich sammelten
um dich zu sagen,
um dich zu tragen
alles Abgrunds Brücke –

Und was sie seither stammelten,
sind Stücke
deines alten Namens.

Der blasse Abelknabe spricht:

Ich bin nicht. Der Bruder hat mir was getan,
was meine Augen nicht sahn.
Er hat mir das Licht verhängt.
Er hat mein Gesicht verdrängt
mit seinem Gesicht.
Er ist jetzt allein.
Ich denke, er muß noch sein.
Denn ihm tut niemand, wie er mir getan.
Es gingen alle meine Bahn,
kommen alle vor seinen Zorn,
gehen alle an ihm verloren.

Ich glaube, mein großer Bruder wacht
wie ein Gericht.
An mich hat die Nacht gedacht;
an ihn nicht.

Du Dunkelheit, aus der ich stamme,
ich liebe dich mehr als die Flamme,
welche die Welt begrenzt,
indem sie glänzt
für irgend einen Kreis,
aus dem heraus kein Wesen von ihr weiß.

Aber die Dunkelheit hält alles an sich:
Gestalten und Flammen, Tiere und mich,
wie sie's errafft,
Menschen und Mächte –

Und es kann sein: eine große Kraft
rührt sich in meiner Nachbarschaft.

Ich glaube an Nächte.

Ich glaube an Alles noch nie Gesagte.
Ich will meine frömmsten Gefühle befrein.
Was noch keiner zu wollen wagte,
wird mir einmal unwillkürlich sein.

Ist das vermessen, mein Gott, vergieb.
Aber ich will dir damit nur sagen:

Meine beste Kraft soll sein wie ein Trieb,
so ohne Zürnen und ohne Zagen;
so haben dich ja die Kinder lieb.

Mit diesem Hinfluten, mit diesem Münden
in breiten Armen ins offene Meer,
mit dieser wachsenden Wiederkehr
will ich dich bekennen, will ich dich verkünden
wie keiner vorher.

Und ist das Hoffahrt, so laß mich hoffährtig sein
für mein Gebet,
das so ernst und allein
vor deiner wolkigen Stirne steht.

Ich bin auf der Welt zu allein und doch nicht
allein genug,
um jede Stunde zu weihn.
Ich bin auf der Welt zu gering und doch nicht
klein genug,
um vor dir zu sein wie ein Ding,
dunkel und klug.
Ich will meinen Willen und will meinen Willen begleiten
die Wege zur Tat;
und will in stillen, irgendwie zögernden Zeiten,
wenn etwas naht,
unter den Wissenden sein
oder allein.

Ich will dich immer spiegeln in ganzer Gestalt,
und will niemals blind sein oder zu alt
um dein schweres schwankendes Bild zu halten.
Ich will mich entfalten.
Nirgends will ich gebogen bleiben,
denn dort bin ich gelogen, wo ich gebogen bin.
Und ich will meinen Sinn
wahr vor dir. Ich will mich beschreiben
wie ein Bild das ich sah,
lange und nah,
wie ein Wort, das ich begriff,
wie meinen täglichen Krug,
wie meiner Mutter Gesicht,
wie ein Schiff,
das mich trug
durch den tödlichsten Sturm.

Du siehst, ich will viel.
Vielleicht will ich Alles:
das Dunkel jedes unendlichen Falles
und jedes Steigens lichtzitterndes Spiel.

Es leben so viele und wollen nichts,
und sind durch ihres leichten Gerichts
glatte Gefühle gefürstet.

Aber du freust dich jedes Gesichts,
das dient und dürstet.

Du freust dich Aller, die dich gebrauchen
wie ein Gerät.

Noch bist du nicht kalt, und es ist nicht zu spät,
in deine werdenden Tiefen zu tauchen,
wo sich das Leben ruhig verrät.

Wir bauen an dir mit zitternden Händen
und wir türmen Atom auf Atom.
Aber wer kann dich vollenden,
du Dom.

Was ist Rom?
Es zerfällt.
Was ist die Welt?
Sie wird zerschlagen
eh deine Türme Kuppeln tragen,
eh aus Meilen von Mosaik
deine strahlende Stirne stieg.

Aber manchmal im Traum
kann ich deinen Raum
überschaun,
tief vom Beginne
bis zu des Daches goldenem Grate.

Und ich seh: meine Sinne
bilden und baun
die letzten Zierate.

Daraus, daß Einer dich einmal gewollt hat,
weiß ich, daß wir dich wollen dürfen.
Wenn wir auch alle Tiefen verwürfen:
wenn ein Gebirge Gold hat
und keiner mehr es ergraben mag,
trägt es einmal der Fluß zutag,
der in die Stille der Steine greift,
der vollen.

Auch wenn wir nicht wollen:
Gott reift.

Wer seines Lebens viele Widersinne
versöhnt und dankbar in ein Sinnbild faßt,
der drängt
die Lärmenden aus dem Palast,
wird *anders* festlich, und du bist der Gast,
den er an sanften Abenden empfängt.

Du bist der Zweite seiner Einsamkeit,
die ruhige Mitte seinen Monologen;
und jeder Kreis, um dich gezogen,
spannt ihm den Zirkel aus der Zeit.

Was irren meine Hände in den Pinseln?
Wenn ich dich *male*, Gott, du merkst es kaum.

Ich *fühle* dich. An meiner Sinne Saum
beginnst du zögernd, wie mit vielen Inseln,

und deinen Augen, welche niemals blinseln,
bin ich der Raum.

Du bist nichtmehr inmitten deines Glanzes,
wo alle Linien des Engeltanzes
die Fernen dir verbrauchen wie Musik, –
du wohnst in deinem allerletzten Haus.
Dein ganzer Himmel horcht in mich hinaus,
weil ich mich sinnend dir verschwieg.

Ich bin, du Ängstlicher. Hörst du mich nicht
mit allen meinen Sinnen an dir branden?
Meine Gefühle, welche Flügel fanden,
umkreisen weiß dein Angesicht.
Siehst du nicht meine Seele, wie sie dicht
vor dir in einem Kleid aus Stille steht?
Reift nicht mein mailiches Gebet
an deinem Blicke wie an einem Baum?

Wenn du der Träumer bist, bin ich dein Traum.
Doch wenn du wachen willst, bin ich dein Wille
und werde mächtig aller Herrlichkeit
und ründe mich wie eine Sternenstille
über der wunderlichen Stadt der Zeit.

Mein Leben ist nicht diese steile Stunde,
darin du mich so eilen siehst.
Ich bin ein Baum vor meinem Hintergrunde,

ich bin nur einer meiner vielen Munde
und jener, welcher sich am frühsten schließt.

Ich bin die Ruhe zwischen zweien Tönen,
die sich nur schlecht aneinander gewöhnen:
denn der Ton Tod will sich erhöhn –

Aber im dunklen Intervall versöhnen
sich beide zitternd.
Und das Lied bleibt schön.

Wenn ich gewachsen wäre irgendwo,
wo leichtere Tage sind und schlanke Stunden,
ich hätte dir ein großes Fest erfunden,
und meine Hände hielten dich nicht so,
wie sie dich manchmal halten, bang und hart.

Dort hätte ich gewagt, dich zu vergeuden,
du grenzenlose Gegenwart.
Wie einen Ball
hätt ich dich in alle wogenden Freuden
hineingeschleudert, daß einer dich finge
und deinem Fall
mit hohen Händen entgegenspringe,
du Ding der Dinge.

Ich hätte dich wie eine Klinge
blitzen lassen.
Vom goldensten Ringe
ließ ich dein Feuer umfassen,

und er müßte mirs halten
über die weißeste Hand.

Gemalt hätt ich dich: nicht an die Wand,
an den Himmel selber von Rand zu Rand,
und hätt dich gebildet, wie ein Gigant
dich bilden würde: als Berg, als Brand,
als Samum, wachsend aus Wüstensand –

oder
es kann auch sein: ich fand
dich einmal...
Meine Freunde sind weit,
ich höre kaum noch ihr Lachen schallen;
und du: du bist aus dem Nest gefallen,
bist ein junger Vogel mit gelben Krallen
und großen Augen und tust mir leid.
(Meine Hand ist dir viel zu breit.)
Und ich heb mit dem Finger vom Quell einen Tropfen
und lausche, ob du ihn lechzend langst,
und ich fühle dein Herz und meines klopfen
und beide aus Angst.

Ich finde dich in allen diesen Dingen,
denen ich gut und wie ein Bruder bin;
als Samen sonnst du dich in den geringen
und in den großen giebst du groß dich hin.

Das ist das wundersame Spiel der Kräfte,
daß sie so dienend durch die Dinge gehn:

in Wurzeln wachsend, schwindend in die Schäfte
und in den Wipfeln wie ein Auferstehn.

Stimme eines jungen Bruders

Ich verrinne, ich verrinne
wie Sand, der durch Finger rinnt.
Ich habe auf einmal so viele Sinne,
die alle anders durstig sind.
Ich fühle mich an hundert Stellen
schwellen und schmerzen.
Aber am meisten mitten im Herzen.

Ich möchte sterben. Laß mich allein.
Ich glaube, es wird mir gelingen,
so bange zu sein,
daß mir die Pulse zerspringen.

Sieh, Gott, es kommt ein Neuer an dir bauen,
der gestern noch ein Knabe war; von Frauen
sind seine Hände noch zusammgefügt
zu einem Falten, welches halb schon lügt.
Denn seine Rechte will schon von der Linken,
um sich zu wehren oder um zu winken
und um am Arm allein zu sein.

Noch gestern war die Stirne wie ein Stein
im Bach, geründet von den Tagen,
die nichts bedeuten als ein Wellenschlagen

und nichts verlangen, als ein Bild zu tragen
von Himmeln, die der Zufall drüber hängt;
heut drängt
auf ihr sich eine Weltgeschichte
vor einem unerbittlichen Gerichte,
und sie versinkt in seinem Urteilsspruch.

Raum wird auf einem neuen Angesichte.
Es war kein Licht vor diesem Lichte,
und, wie noch nie, beginnt dein Buch.

Ich liebe dich, du sanftestes Gesetz,
an dem wir reiften, da wir mit ihm rangen;
du großes Heimweh, das wir nicht bezwangen,
du Wald, aus dem wir nie hinausgegangen,
du Lied, das wir mit jedem Schweigen sangen,
du dunkles Netz,
darin sich flüchtend die Gefühle fangen.

Du hast dich so unendlich groß begonnen
an jenem Tage, da du uns begannst, –
und wir sind so gereift in deinen Sonnen,
so breit geworden und so tief gepflanzt,
daß du in Menschen, Engeln und Madonnen
dich ruhend jetzt vollenden kannst.

Laß deine Hand am Hang der Himmel ruhn
und dulde stumm, was wir dir dunkel tun.

Werkleute sind wir: Knappen, Jünger, Meister,
und bauen dich, du hohes Mittelschiff.
Und manchmal kommt ein ernster Hergereister,
geht wie ein Glanz durch unsre hundert Geister
und zeigt uns zitternd einen neuen Griff.

Wir steigen in die wiegenden Gerüste,
in unsern Händen hängt der Hammer schwer,
bis eine Stunde uns die Stirnen küßte,
die strahlend und als ob sie Alles wüßte
von dir kommt, wie der Wind vom Meer.

Dann ist ein Hallen von dem vielen Hämmern
und durch die Berge geht es Stoß um Stoß.
Erst wenn es dunkelt lassen wir dich los:
Und deine kommenden Konturen dämmern.

Gott, du bist groß.

Du bist so groß, daß ich schon nicht mehr bin,
wenn ich mich nur in deine Nähe stelle.
Du bist so dunkel; meine kleine Helle
an deinem Saum hat keinen Sinn.
Dein Wille geht wie eine Welle
und jeder Tag ertrinkt darin.

Nur meine Sehnsucht ragt dir bis ans Kinn
und steht vor dir wie aller Engel größter:
ein fremder, bleicher und noch unerlöster,
und hält dir seine Flügel hin.

Er will nicht mehr den uferlosen Flug,
an dem die Monde blaß vorüberschwammen,
und von den Welten weiß er längst genug.
Mit seinen Flügeln will er wie mit Flammen
vor deinem schattigen Gesichte stehn
und will bei ihrem weißen Scheine sehn,
ob deine grauen Brauen ihn verdammen.

So viele Engel suchen dich im Lichte
und stoßen mit den Stirnen nach den Sternen
und wollen dich aus jedem Glanze lernen.
Mir aber ist, sooft ich von dir dichte,
daß sie mit abgewendetem Gesichte
von deines Mantels Falten sich entfernen.

Denn du warst selber nur ein Gast des Golds.
Nur einer Zeit zuliebe, die dich flehte
in ihre klaren marmornen Gebete,
erschienst du wie der König der Komete,
auf deiner Stirne Strahlenströme stolz.

Du kehrtest heim, da jene Zeit zerschmolz.

Ganz dunkel ist dein Mund, von dem ich wehte,
und deine Hände sind von Ebenholz.

Das waren Tage Michelangelo's,
von denen ich in fremden Büchern las.
Das war der Mann, der über einem Maß,

gigantengroß,
die Unermeßlichkeit vergaß.

Das war der Mann, der immer wiederkehrt,
wenn eine Zeit noch einmal ihren Wert,
da sie sich enden will, zusammenfaßt.
Da hebt noch einer ihre ganze Last
und wirft sie in den Abgrund seiner Brust.

Die vor ihm hatten Leid und Lust;
er aber fühlt nur noch des Lebens Masse
und daß er Alles wie *ein* Ding umfasse, –
nur Gott bleibt über seinem Willen weit:
da liebt er ihn mit seinem hohen Hasse
für diese Unerreichbarkeit.

Der Ast vom Baume Gott, der über Italien reicht,
hat schon geblüht.
Er hätte vielleicht
sich schon gerne, mit Früchten gefüllt, verfrüht,
doch er wurde mitten im Blühen müd,
und er wird keine Früchte haben.

Nur der Frühling Gottes war dort,
nur sein Sohn, das Wort,
vollendete sich.
Es wendete sich
alle Kraft zu dem strahlenden Knaben.
Alle kamen mit Gaben
zu ihm;

alle sangen wie Cherubim
seinen Preis.

Und er duftete leis
als Rose der Rosen.
Er war ein Kreis
um die Heimatlosen.
Er ging in Mänteln und Metamorphosen
durch alle steigenden Stimmen der Zeit.

Da ward auch die zur Frucht Erweckte,
die schüchterne und schönerschreckte,
die heimgesuchte Magd geliebt.
Die Blühende, die Unentdeckte,
in der es hundert Wege giebt.

Da ließen sie sie gehn und schweben
und treiben mit dem jungen Jahr;
ihr dienendes Marien-Leben
ward königlich und wunderbar.
Wie feiertägliches Geläute
ging es durch alle Häuser groß;
und die einst mädchenhaft Zerstreute
war so versenkt in ihren Schoß
und so erfüllt von jenem Einen
und so für Tausende genug,
daß alles schien, sie zu bescheinen,
die wie ein Weinberg war und trug.

Aber als hätte die Last der Fruchtgehänge
und der Verfall der Säulen und Bogengänge
und der Abgesang der Gesänge
sie beschwert,
hat die Jungfrau sich in anderen Stunden,
wie von Größerem noch unentbunden,
kommenden Wunden
zugekehrt.

Ihre Hände, die sich lautlos lösten,
liegen leer.
Wehe, sie gebar noch nicht den Größten.
Und die Engel, die nicht trösten,
stehen fremd und furchtbar um sie her.

So hat man sie gemalt; vor allem Einer,
der seine Sehnsucht aus der Sonne trug.
Ihm reifte sie aus allen Rätseln reiner,
aber im Leiden immer allgemeiner:
sein ganzes Leben war er wie ein Weiner,
dem sich das Weinen in die Hände schlug.

Er ist der schönste Schleier ihrer Schmerzen,
der sich an ihre wehen Lippen schmiegt,
sich über ihnen fast zum Lächeln biegt –
und von dem Licht aus sieben Engelskerzen
wird sein Geheimnis nicht besiegt.

Mit einem Ast, der jenem niemals glich,
wird Gott, der Baum, auch einmal sommerlich
verkündend werden und aus Reife rauschen;
in einem Lande, wo die Menschen lauschen,
wo jeder ähnlich einsam ist wie ich.

Denn nur dem Einsamen wird offenbart,
und vielen Einsamen der gleichen Art
wird mehr gegeben als dem schmalen Einen.
Denn jedem wird ein andrer Gott erscheinen,
bis sie erkennen, nah am Weinen,
daß durch ihr meilenweites Meinen,
durch ihr Vernehmen und Verneinen,
verschieden nur in hundert Seinen
ein Gott wie eine Welle geht.

Das ist das endlichste Gebet,
das dann die Sehenden sich sagen:
Die Wurzel Gott hat Frucht getragen,
geht hin, die Glocken zu zerschlagen;
wir kommen zu den stillern Tagen,
in denen reif die Stunde steht.
Die Wurzel Gott hat Frucht getragen.
Seid ernst und seht.

Ich kann nicht glauben, daß der kleine Tod,
dem wir doch täglich übern Scheitel schauen,
uns eine Sorge bleibt und eine Not.

Ich kann nicht glauben, daß er ernsthaft droht;
ich lebe noch, ich habe Zeit zu bauen:
mein Blut ist länger als die Rosen rot.

Mein Sinn ist tiefer als das witzige Spiel
mit unsrer Furcht, darin er sich gefällt.
Ich bin die Welt,
aus der er irrend fiel.

Wie er
kreisende Mönche wandern so umher;
man fürchtet sich vor ihrer Wiederkehr,
man weiß nicht: ist es jedesmal derselbe,
sinds zwei, sinds zehn, sinds tausend oder mehr?
Man kennt nur diese fremde gelbe Hand,
die sich ausstreckt so nackt und nah –
da da:
als käm sie aus dem eigenen Gewand.

Was wirst du tun, Gott, wenn ich sterbe?
Ich bin dein Krug (wenn ich zerscherbe?)
Ich bin dein Trank (wenn ich verderbe?)
Bin dein Gewand und dein Gewerbe,
mit mir verlierst du deinen Sinn.

Nach mir hast du kein Haus, darin
dich Worte, nah und warm, begrüßen.
Es fällt von deinen müden Füßen
die Samtsandale, die ich bin.

Dein großer Mantel läßt dich los.
Dein Blick, den ich mit meiner Wange
warm, wie mit einem Pfühl, empfange,
wird kommen, wird mich suchen, lange –
und legt beim Sonnenuntergange
sich fremden Steinen in den Schoß.

Was wirst du tun, Gott? Ich bin bange.

Du bist der raunende Verrußte,
auf allen Öfen schläfst du breit.
Das Wissen ist nur in der Zeit.
Du bist der dunkle Unbewußte
von Ewigkeit zu Ewigkeit.

Du bist der Bittende und Bange,
der aller Dinge Sinn beschwert.
Du bist die Silbe im Gesange,
die immer zitternder im Zwange
der starken Stimmen wiederkehrt.

Du hast dich anders nie gelehrt:

Denn du bist nicht der Schönumscharte,
um welchen sich der Reichtum reiht.
Du bist der Schlichte, welcher sparte.
Du bist der Bauer mit dem Barte
von Ewigkeit zu Ewigkeit.

An den jungen Bruder

Du, gestern Knabe, dem die Wirrnis kam:
Daß sich dein Blut in Blindheit nicht vergeude.
Du meinst nicht den Genuß, du meinst die Freude;
du bist gebildet als ein Bräutigam,
und deine Braut soll werden: deine Scham.

Die große Lust hat auch nach dir Verlangen,
und alle Arme sind auf einmal nackt.
Auf frommen Bildern sind die bleichen Wangen
von fremden Feuern überflackt;
und deine Sinne sind wie viele Schlangen,
die, von des Tones Rot umfangen,
sich spannen in der Tamburine Takt.

Und plötzlich bist du ganz allein gelassen
mit deinen Händen, die dich hassen –
und wenn dein Wille nicht ein Wunder tut:
– –
Aber da gehen wie durch dunkle Gassen
von Gott Gerüchte durch dein dunkles Blut.

An den jungen Bruder

Dann bete du, wie es dich dieser lehrt,
der selber aus der Wirrnis wiederkehrt
und so, daß er zu heiligen Gestalten,
die alle ihres Wesens Würde halten,

in einer Kirche und auf goldnen Smalten
die Schönheit malte, und sie hielt ein Schwert.

Er lehrt dich sagen:
Du mein tiefer Sinn,
vertraue mir, daß ich dich nicht enttäusche;
in meinem Blute sind so viel Geräusche,
ich aber weiß, daß ich aus Sehnsucht bin.

Ein großer Ernst bricht über mich herein.
In seinem Schatten ist das Leben kühl.
Ich bin zum erstenmal mit dir allein,
du, mein Gefühl.
Du bist so mädchenhaft.

Es war ein Weib in meiner Nachbarschaft
und winkte mir aus welkenden Gewändern.
Du aber sprichst mir von so fernen Ländern.
Und meine Kraft
schaut nach den Hügelrändern.

Ich habe Hymnen, die ich schweige.
Es giebt ein Aufgerichtetsein,
darin ich meine Sinne neige:
du siehst mich groß und ich bin klein.
Du kannst mich dunkel unterscheiden
von jenen Dingen, welche knien;
sie sind wie Herden und sie weiden,
ich bin der Hirt am Hang der Heiden,
vor welchem sie zu Abend ziehn.

Dann komm ich hinter ihnen her
und höre dumpf die dunklen Brücken,
und in dem Rauch von ihren Rücken
verbirgt sich meine Wiederkehr.

Gott, wie begreif ich deine Stunde,
als du, daß sie im Raum sich runde,
die Stimme vor dich hingestellt;
dir war das Nichts wie eine Wunde,
da kühltest du sie mit der Welt.

Jetzt heilt es leise unter uns.

Denn die Vergangenheiten tranken
die vielen Fieber aus dem Kranken,
wir fühlen schon in sanftem Schwanken
den ruhigen Puls des Hintergrunds.

Wir liegen lindernd auf dem Nichts
und wir verhüllen alle Risse;
du aber wächst ins Ungewisse
im Schatten deines Angesichts.

Alle, die ihre Hände regen
nicht in der Zeit, der armen Stadt,
alle, die sie an Leises legen,
an eine Stelle, fern den Wegen,
die kaum noch einen Namen hat, –

sprechen dich aus, du Alltagssegen,
und sagen sanft auf einem Blatt:

Es giebt im Grunde nur Gebete,
so sind die Hände uns geweiht,
daß sie nichts schufen, was nicht flehte;
ob einer malte oder mähte,
schon aus dem Ringen der Geräte
entfaltete sich Frömmigkeit.

Die Zeit ist eine vielgestalte.
Wir hören manchmal von der Zeit,
und tun das Ewige und Alte;
wir wissen, daß uns Gott umwallte
groß wie ein Bart und wie ein Kleid.
Wir sind wie Adern im Basalte
in Gottes harter Herrlichkeit.

Der Name ist uns wie ein Licht
hart an die Stirn gestellt.
Da senkte sich mein Angesicht
vor diesem zeitigen Gericht
und sah (von dem es seither spricht)
dich, großes dunkelndes Gewicht
an mir und an der Welt.

Du bogst mich langsam aus der Zeit,
in die ich schwankend stieg;
ich neigte mich nach leisem Streit:

jetzt dauert deine Dunkelheit
um deinen sanften Sieg.

Jetzt hast du mich und weißt nicht wen,
denn deine breiten Sinne sehn
nur, daß ich dunkel ward.
Du hältst mich seltsam zart
und horchst, wie meine Hände gehn
durch deinen alten Bart.

Dein allererstes Wort war: *Licht*:
da ward die Zeit. Dann schwiegst du lange.
Dein zweites Wort ward Mensch und bange
(wir dunkeln noch in seinem Klange)
und wieder sinnt dein Angesicht.

Ich aber will dein drittes nicht.

Ich bete nachts oft: Sei der Stumme,
der wachsend in Gebärden bleibt
und den der Geist im Traume treibt,
daß er des Schweigens schwere Summe
in Stirnen und Gebirge schreibt.

Sei du die Zuflucht vor dem Zorne,
der das Unsagbare verstieß.
Es wurde Nacht im Paradies:
sei du der Hüter mit dem Horne,
und man erzählt nur, daß er blies.

Du kommst und gehst. Die Türen fallen
viel sanfter zu, fast ohne Wehn.
Du bist der Leiseste von Allen,
die durch die leisen Häuser gehn.

Man kann sich so an dich gewöhnen,
daß man nicht aus dem Buche schaut,
wenn seine Bilder sich verschönen,
von deinem Schatten überblaut;
weil dich die Dinge immer tönen,
nur einmal leis und einmal laut.

Oft wenn ich dich in Sinnen sehe,
verteilt sich deine Allgestalt:
du gehst wie lauter lichte Rehe
und ich bin dunkel und bin Wald.

Du bist ein Rad, an dem ich stehe:
von deinen vielen dunklen Achsen
wird immer wieder eine schwer
und dreht sich näher zu mir her,

und meine willigen Werke wachsen
von Wiederkehr zu Wiederkehr.

Du bist der Tiefste, welcher ragte,
der Taucher und der Türme Neid.
Du bist der Sanfte, der sich sagte,
und doch: wenn dich ein Feiger fragte,
so schwelgtest du in Schweigsamkeit.

Du bist der Wald der Widersprüche.
Ich darf dich wiegen wie ein Kind,
und doch vollziehn sich deine Flüche,
die über Völkern furchtbar sind.

Dir ward das erste Buch geschrieben,
das erste Bild versuchte dich,
du warst im Leiden und im Lieben,
dein Ernst war wie aus Erz getrieben
auf jeder Stirn, die mit den sieben
erfüllten Tagen dich verglich.

Du gingst in Tausenden verloren,
und alle Opfer wurden kalt;
bis du in hohen Kirchenchoren
dich rührtest hinter goldnen Toren;
und eine Bangnis, die geboren,
umgürtete dich mit Gestalt.

Ich weiß: Du bist der Rätselhafte,
um den die Zeit in Zögern stand.
O wie so schön ich dich erschaffte
in einer Stunde, die mich straffte,
in einer Hoffahrt meiner Hand.

Ich zeichnete viel ziere Risse,
behorchte alle Hindernisse, –
dann wurden mir die Pläne krank:
es wirrten sich wie Dorngerank
die Linien und die Ovale,

bis tief in mir mit einem Male
aus einem Griff ins Ungewisse
die frommste aller Formen sprang.

Ich kann mein Werk nicht überschaun
und fühle doch: es steht vollendet.
Aber, die Augen abgewendet,
will ich es immer wieder baun.

So ist mein Tagwerk, über dem
mein Schatten liegt wie eine Schale.
Und bin ich auch wie Laub und Lehm,
sooft ich bete oder male
ist Sonntag, und ich bin im Tale
ein jubelndes Jerusalem.

Ich bin die stolze Stadt des Herrn
und sage ihn mit hundert Zungen;
in mir ist Davids Dank verklungen:
ich lag in Harfendämmerungen
und atmete den Abendstern.

Nach Aufgang gehen meine Gassen.
Und bin ich lang vom Volk verlassen,
so ists: damit ich größer bin.
Ich höre jeden in mir schreiten
und breite meine Einsamkeiten
von Anbeginn zu Anbeginn.

Ihr vielen unbestürmten Städte,
habt ihr euch nie den Feind ersehnt?
O daß er euch belagert hätte
ein langes schwankendes Jahrzehnt.

Bis ihr ihn trostlos und in Trauern,
bis daß ihr hungernd ihn ertrugt;
er liegt wie Landschaft vor den Mauern,
denn also weiß er auszudauern
um jene, die er heimgesucht.

Schaut aus vom Rande eurer Dächer:
da lagert er und wird nicht matt
und wird nicht weniger und schwächer
und schickt nicht Droher und Versprecher
und Überreder in die Stadt.

Er ist der große Mauerbrecher,
der eine stumme Arbeit hat.

Ich komme aus meinen Schwingen heim,
mit denen ich mich verlor.
Ich war Gesang, und Gott, der Reim,
rauscht noch in meinem Ohr.

Ich werde wieder still und schlicht,
und meine Stimme steht;
es senkte sich mein Angesicht
zu besserem Gebet.
Den andern war ich wie ein Wind,

da ich sie rüttelnd rief.
Weit war ich, wo die Engel sind,
hoch, wo das Licht in Nichts zerrinnt –
Gott aber dunkelt tief.

Die Engel sind das letzte Wehn
an seines Wipfels Saum;
daß sie aus seinen Ästen gehn,
ist ihnen wie ein Traum.
Sie glauben dort dem Lichte mehr
als Gottes schwarzer Kraft,
es flüchtete sich Lucifer
in ihre Nachbarschaft.

Er ist der Fürst im Land des Lichts,
und seine Stirne steht
so steil am großen Glanz des Nichts,
daß er, versengten Angesichts,
nach Finsternissen fleht.
Er ist der helle Gott der Zeit,
zu dem sie laut erwacht,
und weil er oft in Schmerzen schreit
und oft in Schmerzen lacht,
glaubt sie an seine Seligkeit
und hangt an seiner Macht.

Die Zeit ist wie ein welker Rand
an einem Buchenblatt.
Sie ist das glänzende Gewand,
das Gott verworfen hat,
als Er, der immer Tiefe war,

ermüdete des Flugs
und sich verbarg vor jedem Jahr,
bis ihm sein wurzelhaftes Haar
durch alle Dinge wuchs.

Du wirst nur mit der Tat erfaßt,
mit Händen nur erhellt;
ein jeder Sinn ist nur ein Gast
und sehnt sich aus der Welt.

Ersonnen ist ein jeder Sinn,
man fühlt den feinen Saum darin
und daß ihn einer spann:
Du aber kommst und giebst dich hin
und fällst den Flüchtling an.

Ich will nicht wissen, wo du bist,
sprich mir aus überall.
Dein williger Euangelist
verzeichnet alles und vergißt
zu schauen nach dem Schall.

Ich geh doch immer auf dich zu
mit meinem ganzen Gehn;
denn wer bin ich und wer bist du,
wenn wir uns nicht verstehn?

Mein Leben hat das gleiche Kleid und Haar
wie aller alten Zaren Sterbestunde.

Die Macht entfremdete nur meinem Munde,
doch meine Reiche, die ich schweigend runde,
versammeln sich in meinem Hintergrunde
und meine Sinne sind noch Gossudar.

Für sie ist beten immer noch: Erbauen,
aus allen Maßen bauen, daß das Grauen
fast wie die Größe wird und schön, –
und: jedes Hinknien und Vertrauen
(daß es die andern nicht beschauen)
mit vielen goldenen und blauen
und bunten Kuppeln überhöhn.

Denn was sind Kirchen und sind Klöster
in ihrem Steigen und Erstehn
als Harfen, tönende Vertröster,
durch die die Hände Halberlöster
vor Königen und Jungfraun gehn.

Und Gott befiehlt mir, daß ich schriebe:

> Den Königen sei Grausamkeit.
> Sie ist der Engel vor der Liebe,
> und ohne diesen Bogen bliebe
> mir keine Brücke in die Zeit.

Und Gott befiehlt mir, daß ich male:

> Die Zeit ist mir mein tiefstes Weh,
> so legte ich in ihre Schale:

das wache Weib, die Wundenmale,
den reichen Tod (daß er sie zahle),
der Städte bange Bacchanale,
den Wahnsinn und die Könige.

Und Gott befiehlt mir, daß ich baue:

Denn König bin ich von der Zeit.
Dir aber bin ich nur der graue
Mitwisser deiner Einsamkeit.
Und bin das Auge mit der Braue...

Das über meine Schulter schaue
von Ewigkeit zu Ewigkeit.

Es tauchten tausend Theologen
in deines Namens alte Nacht.
Jungfrauen sind zu dir erwacht,
und Jünglinge in Silber zogen
und schimmerten in dir, du Schlacht.

In deinen langen Bogengängen
begegneten die Dichter sich
und waren Könige von Klängen
und mild und tief und meisterlich.

Du bist die sanfte Abendstunde,
die alle Dichter ähnlich macht;
du drängst dich dunkel in die Munde,

und im Gefühl von einem Funde
umgiebt ein jeder dich mit Pracht.

Dich heben hunderttausend Harfen
wie Schwingen aus der Schweigsamkeit.
Und deine alten Winde warfen
zu allen Dingen und Bedarfen
den Hauch von deiner Herrlichkeit.

Die Dichter haben dich verstreut
(es ging ein Sturm durch alles Stammeln),
ich aber will dich wieder sammeln
in dem Gefäß, das dich erfreut.

Ich wanderte in vielem Winde;
da triebst du tausendmal darin.
Ich bringe alles was ich finde:
als Becher brauchte dich der Blinde,
sehr tief verbarg dich das Gesinde,
der Bettler aber hielt dich hin;
und manchmal war bei einem Kinde
ein großes Stück von deinem Sinn.

Du siehst, daß ich ein Sucher bin.

Einer, der hinter seinen Händen
verborgen geht und wie ein Hirt;
(mögst du den Blick der ihn beirrt,
den Blick der Fremden von ihm wenden).

Einer der träumt, dich zu vollenden
und: daß er sich vollenden wird.

Selten ist Sonne im Sobór.
Die Wände wachsen aus Gestalten,
und durch die Jungfraun und die Alten
drängt sich, wie Flügel im Entfalten,
das goldene, das Kaiser-Tor.

An seinem Säulenrand verlor
die Wand sich hinter den Ikonen;
und, die im stillen Silber wohnen,
die Steine, steigen wie ein Chor
und fallen wieder in die Kronen
und schweigen schöner als zuvor.

Und über sie, wie Nächte blau,
von Angesichte blaß,
schwebt, die dich freuete, die Frau:
die Pförtnerin, der Morgentau,
die dich umblüht wie eine Au
und ohne Unterlaß.

Die Kuppel ist voll deines Sohns
und bindet rund den Bau.

Willst du geruhen deines Throns,
den ich in Schauern schau.

Da trat ich als ein Pilger ein
und fühlte voller Qual
an meiner Stirne dich, du Stein.
Mit Lichtern, sieben an der Zahl,
umstellte ich dein dunkles Sein
und sah in jedem Bilde dein
bräunliches Muttermal.

Da stand ich, wo die Bettler stehn,
die schlecht und hager sind:
aus ihrem Auf- und Niederwehn
begriff ich dich, du Wind.
Ich sah den Bauer, überjahrt,
bärtig wie Joachim,
und daraus, wie er dunkel ward,
von lauter Ähnlichen umschart,
empfand ich dich wie nie so zart,
so ohne Wort geoffenbart
in allen und in ihm.

Du läßt der Zeit den Lauf,
und dir ist niemals Ruh darin:
der Bauer findet deinen Sinn
und hebt ihn auf und wirft ihn hin
und hebt ihn wieder auf.

Wie der Wächter in den Weingeländen
seine Hütte hat und wacht,
bin ich Hütte, Herr, in deinen Händen
und bin Nacht, o Herr, von deiner Nacht.

Weinberg, Weide, alter Apfelgarten,
Acker, der kein Frühjahr überschlägt,
Feigenbaum, der auch im marmorharten
Grunde hundert Früchte trägt:

Duft geht aus aus deinen runden Zweigen.
Und du fragst nicht, ob ich wachsam sei;
furchtlos, aufgelöst in Säften, steigen
deine Tiefen still an mir vorbei.

Gott spricht zu jedem nur, eh er ihn macht,
dann geht er schweigend mit ihm aus der Nacht.
Aber die Worte, eh jeder beginnt,
diese wolkigen Worte, sind:

Von deinen Sinnen hinausgesandt,
geh bis an deiner Sehnsucht Rand;
gieb mir Gewand.

Hinter den Dingen wachse als Brand,
daß ihre Schatten, ausgespannt,
immer mich ganz bedecken.

Laß dir Alles geschehn: Schönheit und Schrecken.
Man muß nur gehn: Kein Gefühl ist das fernste.
Laß dich von mir nicht trennen.
Nah ist das Land,
das sie das Leben nennen.

Du wirst es erkennen
an seinem Ernste.

Gieb mir die Hand.

Ich war bei den ältesten Mönchen, den Malern und
Mythenmeldern,
die schrieben ruhig Geschichten und zeichneten Runen
des Ruhms.
Und ich seh dich in meinen Gesichten mit Winden,
Wassern und Wäldern
rauschend am Rande des Christentums,
du Land, nicht zu lichten.

Ich will dich erzählen, ich will dich beschaun und
beschreiben,
nicht mit Bol und mit Gold, nur mit Tinte aus
Apfelbaumrinden;
ich kann auch mit Perlen dich nicht an die Blätter binden,
und das zitterndste Bild, das mir meine Sinne erfinden,
du würdest es blind durch dein einfaches Sein
übertreiben.

So will ich die Dinge in dir nur bescheiden und schlichthin
benamen,
will die Könige nennen, die ältesten, woher sie kamen,
und will ihre Taten und Schlachten berichten am Rand
meiner Seiten.

Denn du bist der Boden. Dir sind nur wie Sommer
die Zeiten,
und du denkst an die nahen nicht anders als an die
entfernten,
und ob sie dich tiefer besamen und besser bebauen
lernten:
du fühlst dich nur leise berührt von den ähnlichen
Ernten
und hörst weder Säer noch Schnitter, die über dich
schreiten.

Du dunkelnder Grund, geduldig erträgst du die Mauern.
Und vielleicht erlaubst du noch eine Stunde den Städten
zu dauern
und gewährst noch zwei Stunden den Kirchen und
einsamen Klöstern
und lässest fünf Stunden noch Mühsal allen Erlöstern
und siehst noch sieben Stunden das Tagwerk des
Bauern –:

Eh du wieder Wald wirst und Wasser und wachsende
Wildnis
in der Stunde der unerfaßlichen Angst,
da du dein unvollendetes Bildnis
von allen Dingen zurückverlangst.

Gieb mir noch eine kleine Weile Zeit: ich will die Dinge so
wie keiner lieben,
bis sie dir alle würdig sind und weit.
Ich will nur sieben Tage, sieben

auf die sich keiner noch geschrieben,
sieben Seiten Einsamkeit.

Wem du das Buch giebst, welches die umfaßt,
der wird gebückt über den Blättern bleiben.
Es sei denn, daß du ihn in Händen hast,
um selbst zu schreiben.

So bin ich nur als Kind erwacht,
so sicher im Vertraun
nach jeder Angst und jeder Nacht
dich wieder anzuschaun.
Ich weiß, sooft mein Denken mißt,
wie tief, wie lang, wie weit –:
du aber bist und bist und bist,
umzittert von der Zeit.

Mir ist, als wär ich jetzt zugleich
Kind, Knab und Mann und mehr.
Ich fühle: nur der Ring ist reich
durch seine Wiederkehr.

Ich danke dir, du tiefe Kraft,
die immer leiser mit mir schafft
wie hinter vielen Wänden;
jetzt ward mir erst der Werktag schlicht
und wie ein heiliges Gesicht
zu meinen dunklen Händen.

Daß ich nicht war vor einer Weile,
weißt du davon? Und du sagst nein.
Da fühl ich, wenn ich nur nicht eile,
so kann ich nie vergangen sein.

Ich bin ja mehr als Traum im Traume.
Nur was sich sehnt nach einem Saume,
ist wie ein Tag und wie ein Ton;
es drängt sich fremd durch deine Hände,
daß es die viele Freiheit fände,
und traurig lassen sie davon.

So blieb das Dunkel dir allein,
und, wachsend in die leere Lichte,
erhob sich eine Weltgeschichte
aus immer blinderem Gestein.
Ist einer noch, der daran baut?
Die Massen wollen wieder Massen,
die Steine sind wie losgelassen

und keiner ist von dir behauen..

Es lärmt das Licht im Wipfel deines Baumes
und macht dir alle Dinge bunt und eitel,
sie finden dich erst wenn der Tag verglomm.
Die Dämmerung, die Zärtlichkeit des Raumes,
legt tausend Hände über tausend Scheitel,
und unter ihnen wird das Fremde fromm.

Du willst die Welt nicht anders an dich halten
als so, mit dieser sanftesten Gebärde.
Aus ihren Himmeln greifst du dir die Erde
und fühlst sie unter deines Mantels Falten.

Du hast so eine leise Art zu sein.
Und jene, die dir laute Namen weihn,
sind schon vergessen deiner Nachbarschaft.

Von deinen Händen, die sich bergig heben,
steigt, unsern Sinnen das Gesetz zu geben,
mit dunkler Stirne deine stumme Kraft.

Du Williger, und deine Gnade kam
immer in alle ältesten Gebärden.
Wenn einer die Hände zusammenflicht,
so daß sie zahm
und um ein kleines Dunkel sind –:
auf einmal fühlt er dich in ihnen werden,
und wie im Winde
senkt sich sein Gesicht
in Scham.

Und da versucht er, auf dem Stein zu liegen
und aufzustehn, wie er bei andern sieht,
und seine Mühe ist, dich einzuwiegen,
aus Angst, daß er dein Wachsein schon verriet.

Denn wer dich fühlt, kann sich mit dir nicht brüsten;
er ist erschrocken, bang um dich und flieht
vor allen Fremden, die dich merken müßten:

Du bist das Wunder in den Wüsten,
das Ausgewanderten geschieht.

Eine Stunde vom Rande des Tages,
und das Land ist zu allem bereit.
Was du sehnst, meine Seele, sag es:

Sei Heide und, Heide, sei weit.
Habe alte, alte Kurgane,
wachsend und kaumerkannt,
wenn es Mond wird über das plane
langvergangene Land.
Gestalte dich, Stille. Gestalte
die Dinge (es ist ihre Kindheit,
sie werden dir willig sein).
Sei Heide, sei Heide, sei Heide,
dann kommt vielleicht auch der Alte,
den ich kaum von der Nacht unterscheide,
und bringt seine riesige Blindheit
in mein horchendes Haus herein.

Ich seh ihn sitzen und sinnen,
nicht über mich hinaus;
für ihn ist alles innen,
Himmel und Heide und Haus.
Nur die Lieder sind ihm verloren,

die er nie mehr beginnt;
aus vielen tausend Ohren
trank sie die Zeit und der Wind;
aus den Ohren der Toren.

Und dennoch: mir geschieht,
als ob ich ein jedes Lied
tief in mir ihm ersparte.

Er schweigt hinterm bebenden Barte,
er möchte sich wiedergewinnen
aus seinen Melodien.
Da komm ich zu seinen Knien:

und seine Lieder rinnen
rauschend zurück in ihn.

Zweites Buch
Das Buch von der Pilgerschaft

(1901)

Dich wundert nicht des Sturmes Wucht, –
du hast ihn wachsen sehn; –
die Bäume flüchten. Ihre Flucht
schafft schreitende Alleen.
Da weißt du, der vor dem sie fliehn
ist der, zu dem du gehst,
und deine Sinne singen ihn,
wenn du am Fenster stehst.

Des Sommers Wochen standen still,
es stieg der Bäume Blut;
jetzt fühlst du, daß es fallen will
in den der Alles tut.
Du glaubtest schon erkannt die Kraft,
als du die Frucht erfaßt,
jetzt wird sie wieder rätselhaft,
und du bist wieder Gast.

Der Sommer war so wie dein Haus,
drin weißt du alles stehn –
jetzt mußt du in dein Herz hinaus
wie in die Ebene gehn.
Die große Einsamkeit beginnt,
die Tage werden taub,
aus deinen Sinnen nimmt der Wind
die Welt wie welkes Laub.

Durch ihre leeren Zweige sieht
der Himmel, den du hast;

sei Erde jetzt und Abendlied
und Land, darauf er paßt.
Demütig sei jetzt wie ein Ding,
zu Wirklichkeit gereift, –
daß Der, von dem die Kunde ging,
dich fühlt, wenn er dich greift.

Ich bete wieder, du Erlauchter,
du hörst mich wieder durch den Wind,
weil meine Tiefen niegebrauchter
rauschender Worte mächtig sind.

Ich war zerstreut; an Widersacher
in Stücken war verteilt mein Ich.
O Gott, mich lachten alle Lacher
und alle Trinker tranken mich.

In Höfen hab ich mich gesammelt
aus Abfall und aus altem Glas,
mit halbem Mund dich angestammelt,
dich, Ewiger aus Ebenmaß.
Wie hob ich meine halben Hände
zu dir in namenlosem Flehn,
daß ich die Augen wiederfände,
mit denen ich dich angesehn.

Ich war ein Haus nach einem Brand,
darin nur Mörder manchmal schlafen,
eh ihre hungerigen Strafen
sie weiterjagen in das Land;

ich war wie eine Stadt am Meer,
wenn eine Seuche sie bedrängte,
die sich wie eine Leiche schwer
den Kindern an die Hände hängte.

Ich war mir fremd wie irgendwer,
und wußte nur von ihm, daß er
einst meine junge Mutter kränkte
als sie mich trug,
und daß ihr Herz, das eingeengte,
sehr schmerzhaft an mein Keimen schlug.

Jetzt bin ich wieder aufgebaut
aus allen Stücken meiner Schande,
und sehne mich nach einem Bande,
nach einem einigen Verstande,
der mich wie *ein* Ding überschaut, –
nach deines Herzens großen Händen –
(o kämen sie doch auf mich zu).
Ich zähle mich, mein Gott, und du,
du hast das Recht, mich zu verschwenden.

Ich bin derselbe noch, der kniete
vor dir in mönchischem Gewand:
der tiefe, dienende Levite,
den du erfüllt, der dich erfand.
Die Stimme einer stillen Zelle,
an der die Welt vorüberweht, –
und du bist immer noch die Welle,
die über alle Dinge geht.

Es *ist* nichts andres. Nur ein Meer,
aus dem die Länder manchmal steigen.
Es *ist* nichts andres denn ein Schweigen
von schönen Engeln und von Geigen,
und der Verschwiegene ist der,
zu dem sich alle Dinge neigen,
von seiner Stärke Strahlen schwer.

Bist du denn Alles, – ich der Eine,
der sich ergiebt und sich empört?
Bin ich denn nicht das Allgemeine,
bin ich nicht *Alles*, wenn ich weine,
und du der Eine, der es hört?

Hörst du denn etwas neben mir?
Sind da noch Stimmen außer meiner?
Ist da ein Sturm? Auch ich bin einer,
und meine Wälder winken dir.

Ist da ein Lied, ein krankes, kleines,
das dich am Micherhören stört, –
auch ich bin eines, höre meines,
das einsam ist und unerhört.

Ich bin derselbe noch, der bange
dich manchmal fragte, wer du seist.
Nach jedem Sonnenuntergange
bin ich verwundet und verwaist,
ein blasser Allem Abgelöster
und ein Verschmähter jeder Schar,
und alle Dinge stehn wie Klöster,

in denen ich gefangen war.
Dann brauch ich dich, du Eingeweihter,
du sanfter Nachbar jeder Not,
du meines Leidens leiser Zweiter,
du Gott, dann brauch ich dich wie Brot.
Du weißt vielleicht nicht, wie die Nächte
für Menschen, die nicht schlafen, sind:
da sind sie alle Ungerechte,
der Greis, die Jungfrau und das Kind.
Sie fahren auf wie totgesagt,
von schwarzen Dingen nah umgeben,
und ihre weißen Hände beben,
verwoben in ein wildes Leben
wie Hunde in ein Bild der Jagd.
Vergangenes steht noch bevor,
und in der Zukunft liegen Leichen,
ein Mann im Mantel pocht am Tor,
und mit dem Auge und dem Ohr
ist noch kein erstes Morgenzeichen,
kein Hahnruf ist noch zu erreichen.
Die Nacht ist wie ein großes Haus.
Und mit der Angst der wunden Hände
reißen sie Türen in die Wände, –
dann kommen Gänge ohne Ende,
und nirgends ist ein Tor hinaus.

Und so, mein Gott, ist *jede* Nacht;
immer sind welche aufgewacht,
die gehn und gehn und dich nicht finden.
Hörst du sie mit dem Schritt von Blinden
das Dunkel treten?

Auf Treppen, die sich niederwinden,
hörst du sie beten?
Hörst du sie fallen auf den schwarzen Steinen?
Du mußt sie weinen hören; denn sie weinen.

Ich suche dich, weil sie vorübergehn
an meiner Tür. Ich kann sie beinah sehn.
Wen soll ich rufen, wenn nicht *den*,
der dunkel ist und nächtiger als Nacht.
Den Einzigen, der ohne Lampe wacht
und doch nicht bangt; den Tiefen, den das Licht
noch nicht verwöhnt hat und von dem ich weiß,
weil er mit Bäumen aus der Erde bricht
und weil er leis
als Duft in mein gesenktes Angesicht
aus Erde steigt.

Du Ewiger, du hast dich mir gezeigt.
Ich liebe dich wie einen lieben Sohn,
der mich einmal verlassen hat als Kind,
weil ihn das Schicksal rief auf einen Thron,
vor dem die Länder alle Täler sind.
Ich bin zurückgeblieben wie ein Greis,
der seinen großen Sohn nichtmehr versteht
und wenig von den neuen Dingen weiß,
zu welchen seines Samens Wille geht.
Ich bebe manchmal für dein tiefes Glück,
das auf so vielen fremden Schiffen fährt,
ich wünsche manchmal dich in mich zurück,
in dieses Dunkel, das dich großgenährt.

Ich bange manchmal, daß du nichtmehr bist,
wenn ich mich sehr verliere an die Zeit.
Dann les ich von dir: der Euangelist
schreibt überall von deiner Ewigkeit.

Ich bin der Vater; doch der Sohn ist mehr,
ist alles, was der Vater war, und der,
der er nicht wurde, wird in jenem groß;
er ist die Zukunft und die Wiederkehr,
er ist der Schoß, er ist das Meer...

Dir ist mein Beten keine Blasphemie:
als schlüge ich in alten Büchern nach,
daß ich dir sehr verwandt bin – tausendfach.

Ich will dir Liebe geben. Die und die....

Liebt man denn einen Vater? Geht man nicht,
wie du von mir gingst, Härte im Gesicht,
von seinen hülflos leeren Händen fort?
Legt man nicht leise sein verwelktes Wort
in alte Bücher, die man selten liest?
Fließt man nicht wie von einer Wasserscheide
von seinem Herzen ab zu Lust und Leide?
Ist uns der Vater denn nicht das, was *war*;
vergangne Jahre, welche fremd gedacht,
veraltete Gebärde, tote Tracht,
verblühte Hände und verblichnes Haar?
Und war er selbst für seine Zeit ein Held,
er ist das Blatt, das, wenn wir wachsen, fällt.

Und seine Sorgfalt ist uns wie ein Alb,
und seine Stimme ist uns wie ein Stein, –
wir möchten seiner Rede hörig sein,
aber wir hören seine Worte halb.
Das große Drama zwischen ihm und uns
lärmt viel zu laut, einander zu verstehn,
wir sehen nur die Formen seines Munds,
aus denen Silben fallen, die vergehn.
So sind wir noch viel ferner ihm als fern,
wenn auch die Liebe uns noch weit verwebt,
erst wenn er sterben muß auf diesem Stern,
sehn wir, daß er auf diesem Stern gelebt.

Das ist der Vater uns. Und ich – ich soll
dich Vater nennen?
Das hieße tausendmal mich von dir trennen.
Du bist mein Sohn. Ich werde dich erkennen,
wie man sein einzigliebes Kind erkennt, auch dann,
wenn es ein Mann geworden ist, ein alter Mann.

Lösch mir die Augen aus: ich kann dich sehn,
wirf mir die Ohren zu: ich kann dich hören,
und ohne Füße kann ich zu dir gehn,
und ohne Mund noch kann ich dich beschwören.
Brich mir die Arme ab, ich fasse dich
mit meinem Herzen wie mit einer Hand,
halt mir das Herz zu, und mein Hirn wird schlagen,
und wirfst du in mein Hirn den Brand,
so werd ich dich auf meinem Blute tragen.

Und meine Seele ist ein Weib vor dir.
Und ist wie der Naëmi Schnur, wie Ruth.
Sie geht bei Tag um deiner Garben Hauf
wie eine Magd, die tiefe Dienste tut.
Aber am Abend steigt sie in die Flut
und badet sich und kleidet sich sehr gut
und kommt zu dir, wenn alles um dich ruht,
und kommt und deckt zu deinen Füßen auf.

Und fragst du sie um Mitternacht, sie sagt
mit tiefer Einfalt: Ich bin Ruth, die Magd.
Spann deine Flügel über deine Magd.
Du bist der Erbe…

Und meine Seele schläft dann bis es tagt
bei deinen Füßen, warm von deinem Blut.
Und ist ein Weib vor dir. Und ist wie Ruth.

Du bist der Erbe.
Söhne sind die Erben,
denn Väter sterben.
Söhne stehn und blühn.
        Du bist der Erbe:

Und du erbst das Grün
vergangner Gärten und das stille Blau
zerfallner Himmel.
Tau aus tausend Tagen,
die vielen Sommer, die die Sonnen sagen,

und lauter Frühlinge mit Glanz und Klagen
wie viele Briefe einer jungen Frau.
Du erbst die Herbste, die wie Prunkgewänder
in der Erinnerung von Dichtern liegen,
und alle Winter, wie verwaiste Länder,
scheinen sich leise an dich anzuschmiegen.
Du erbst Venedig und Kasan und Rom,
Florenz wird dein sein, der Pisaner Dom,
die Troïtzka Lawra und das Monastir,
das unter Kiews Gärten ein Gewirr
von Gängen bildet, dunkel und verschlungen, –
Moskau mit Glocken wie Erinnerungen, –
und Klang wird dein sein: Geigen, Hörner, Zungen,
und jedes Lied, das tief genug erklungen,
wird an dir glänzen wie ein Edelstein.

Für dich nur schließen sich die Dichter ein
und sammeln Bilder, rauschende und reiche,
und gehn hinaus und reifen durch Vergleiche
und sind ihr ganzes Leben so allein …
Und Maler malen ihre Bilder nur,
damit du *unvergänglich* die Natur,
die du vergänglich schufst, zurückempfängst:
alles wird ewig. Sieh, das Weib ist längst
in der Madonna Lisa reif wie Wein;
es müßte nie ein Weib mehr sein,
denn Neues bringt kein neues Weib hinzu.
Die, welche bilden, sind wie du.
Sie wollen Ewigkeit. Sie sagen: Stein,
sei ewig. Und das heißt: sei dein!

Und auch, die lieben, sammeln für dich ein:
Sie sind die Dichter einer kurzen Stunde,
sie küssen einem ausdruckslosen Munde
ein Lächeln auf, als formten sie ihn schöner,
und bringen Lust und sind die Angewöhner
zu Schmerzen, welche erst erwachsen machen.
Sie bringen Leiden mit in ihrem Lachen,
Sehnsüchte, welche schlafen, und erwachen,
um aufzuweinen in der fremden Brust.
Sie häufen Rätselhaftes an und sterben,
wie Tiere sterben, ohne zu begreifen, –
aber sie werden vielleicht Enkel haben,
in denen ihre grünen Leben reifen;
durch diese wirst du jene Liebe erben,
die sie sich blind und wie im Schlafe gaben.

So fließt der Dinge Überfluß dir zu.
Und wie die obern Becken von Fontänen
beständig überströmen, wie von Strähnen
gelösten Haares, in die tiefste Schale, –
so fällt die Fülle dir in deine Tale,
wenn Dinge und Gedanken übergehn.

Ich bin nur einer deiner Ganzgeringen,
der in das Leben aus der Zelle sieht
und der, den Menschen ferner als den Dingen,
nicht wagt zu wägen, was geschieht.
Doch willst du mich vor deinem Angesicht,
aus dem sich dunkel deine Augen heben,
dann halte es für meine Hoffahrt nicht,

wenn ich dir sage: Keiner lebt sein Leben.
Zufälle sind die Menschen, Stimmen, Stücke,
Alltage, Ängste, viele kleine Glücke,
verkleidet schon als Kinder, eingemummt,
als Masken mündig, als Gesicht – verstummt.

Ich denke oft: Schatzhäuser müssen sein,
wo alle diese vielen Leben liegen
wie Panzer oder Sänften oder Wiegen,
in welche nie ein Wirklicher gestiegen,
und wie Gewänder, welche ganz allein
nicht stehen können und sich sinkend schmiegen
an starke Wände aus gewölbtem Stein.

Und wenn ich abends immer weiterginge
aus meinem Garten, drin ich müde bin, –
ich weiß: dann führen alle Wege hin
zum Arsenal der ungelebten Dinge.
Dort ist kein Baum, als legte sich das Land,
und wie um ein Gefängnis hängt die Wand
ganz fensterlos in siebenfachem Ringe.
Und ihre Tore mit den Eisenspangen,
die denen wehren, welche hinverlangen,
und ihre Gitter sind von Menschenhand.

Und doch, obwohl ein jeder von sich strebt
wie aus dem Kerker, der ihn haßt und hält, –
es ist ein großes Wunder in der Welt:
ich fühle: *alles Leben wird gelebt.*

Wer lebt es denn? Sind das die Dinge, die
wie eine ungespielte Melodie
im Abend wie in einer Harfe stehn?
Sind das die Winde, die von Wassern wehn,
sind das die Zweige, die sich Zeichen geben,
sind das die Blumen, die die Düfte weben,
sind das die langen alternden Alleen?
Sind das die warmen Tiere, welche gehn,
sind das die Vögel, die sich fremd erheben?

Wer lebt es denn? Lebst du es, Gott, – das Leben?

Du bist der Alte, dem die Haare
von Ruß versengt sind und verbrannt,
du bist der große Unscheinbare,
mit deinem Hammer in der Hand.
Du bist der Schmied, das Lied der Jahre,
der immer an dem Amboß stand.

Du bist, der niemals Sonntag hat,
der in die Arbeit Eingekehrte,
der sterben könnte überm Schwerte,
das noch nicht glänzend wird und glatt.
Wenn bei uns Mühle steht und Säge
und alle trunken sind und träge,
dann hört man deine Hammerschläge
an allen Glocken in der Stadt.

Du bist der Mündige, der Meister,
und keiner hat dich lernen sehn;

ein Unbekannter, Hergereister,
von dem bald flüsternder, bald dreister
die Reden und Gerüchte gehn.

Gerüchte gehn, die dich vermuten,
und Zweifel gehn, die dich verwischen.
Die Trägen und die Träumerischen
mißtrauen ihren eignen Gluten
und wollen, daß die Berge bluten,
denn eher glauben sie dich nicht.

Du aber senkst dein Angesicht.

Du könntest den Bergen die Adern aufschneiden
als Zeichen eines großen Gerichts;
aber dir liegt nichts
an den Heiden.

Du willst nicht streiten mit allen Listen
und nicht suchen die Liebe des Lichts;
denn dir liegt nichts
an den Christen.

Dir liegt an den Fragenden nichts.
Sanften Gesichts
siehst du den Tragenden zu.

Alle, welche dich suchen, versuchen dich.
Und die, so dich finden, binden dich
an Bild und Gebärde.

Ich aber will dich begreifen
wie dich die Erde begreift;
mit meinem Reifen
reift
dein Reich.

Ich will von dir keine Eitelkeit,
die dich beweist.
Ich weiß, daß die Zeit
anders heißt
als du.

Tu mir kein Wunder zulieb.
Gieb deinen Gesetzen recht,
die von Geschlecht zu Geschlecht
sichtbarer sind.

Wenn etwas mir vom Fenster fällt
(und wenn es auch das Kleinste wäre)
wie stürzt sich das Gesetz der Schwere
gewaltig wie ein Wind vom Meere
auf jeden Ball und jede Beere
und trägt sie in den Kern der Welt.

Ein jedes Ding ist überwacht
von einer flugbereiten Güte

wie jeder Stein und jede Blüte
und jedes kleine Kind bei Nacht.
Nur wir, in unsrer Hoffahrt, drängen
aus einigen Zusammenhängen
in einer Freiheit leeren Raum,
statt, klugen Kräften hingegeben,
uns aufzuheben wie ein Baum.
Statt in die weitesten Geleise
sich still und willig einzureihn,
verknüpft man sich auf manche Weise, –
und wer sich ausschließt jedem Kreise,
ist jetzt so namenlos allein.

Da muß er lernen von den Dingen,
anfangen wieder wie ein Kind,
weil sie, die Gott am Herzen hingen,
nicht von ihm fortgegangen sind.
Eins muß er wieder können: *fallen*,
geduldig in der Schwere ruhn,
der sich vermaß, den Vögeln allen
im Fliegen es zuvorzutun.

(Denn auch die Engel fliegen nicht mehr.
Schweren Vögeln gleichen die Seraphim,
welche um *ihn* sitzen und sinnen;
Trümmern von Vögeln, Pinguinen
gleichen sie, wie sie verkümmern ...)

Du meinst die Demut. Angesichter
gesenkt in stillem Dichverstehn.

So gehen abends junge Dichter
in den entlegenen Alleen.
So stehn die Bauern um die Leiche,
wenn sich ein Kind im Tod verlor, –
und was geschieht, ist doch das Gleiche:
es geht ein Übergroßes vor.

Wer dich zum ersten Mal gewahrt,
den stört der Nachbar und die Uhr,
der geht, gebeugt zu deiner Spur,
und wie beladen und bejahrt.
Erst später naht er der Natur
und fühlt die Winde und die Fernen,
hört dich, geflüstert von der Flur,
sieht dich, gesungen von den Sternen,
und kann dich nirgends mehr verlernen,
und alles ist dein Mantel nur.

Ihm bist du neu und nah und gut
und wunderschön wie eine Reise,
die er in stillen Schiffen leise
auf einem großen Flusse tut.
Das Land ist weit, in Winden, eben,
sehr großen Himmeln preisgegeben
und alten Wäldern untertan.
Die kleinen Dörfer, die sich nahn,
vergehen wieder wie Geläute
und wie ein Gestern und ein Heute
und so wie alles, was wir sahn.
Aber an dieses Stromes Lauf
stehn immer wieder Städte auf

und kommen wie auf Flügelschlägen
der feierlichen Fahrt entgegen.

Und manchmal lenkt das Schiff zu Stellen,
die einsam, sonder Dorf und Stadt,
auf etwas warten an den Wellen, –
auf den, der keine Heimat hat...
Für solche stehn dort kleine Wagen
(ein jeder mit drei Pferden vor),
die atemlos nach Abend jagen
auf einem Weg, der sich verlor.

In diesem Dorfe steht das letzte Haus
so einsam wie das letzte Haus der Welt.

Die Straße, die das kleine Dorf nicht hält,
geht langsam weiter in die Nacht hinaus.

Das kleine Dorf ist nur ein Übergang
zwischen zwei Weiten, ahnungsvoll und bang,
ein Weg an Häusern hin statt eines Stegs.

Und die das Dorf verlassen, wandern lang,
und viele sterben vielleicht unterwegs.

Manchmal steht einer auf beim Abendbrot
und geht hinaus und geht und geht und geht, –
weil eine Kirche wo im Osten steht.

Und seine Kinder segnen ihn wie tot.

Und einer, welcher stirbt in seinem Haus,
bleibt drinnen wohnen, bleibt in Tisch und Glas,
so daß die Kinder in die Welt hinaus
zu jener Kirche ziehn, die er vergaß.

Nachtwächter ist der Wahnsinn,
weil er wacht.
Bei jeder Stunde bleibt er lachend stehn,
und einen Namen sucht er für die Nacht
und nennt sie: sieben, achtundzwanzig, zehn...

Und ein Triangel trägt er in der Hand,
und weil er zittert, schlägt es an den Rand
des Horns, das er nicht blasen kann, und singt
das Lied, das er zu allen Häusern bringt.

Die Kinder haben eine gute Nacht
und hören träumend, daß der Wahnsinn wacht.
Die Hunde aber reißen sich vom Ring
und gehen in den Häusern groß umher
und zittern, wenn er schon vorüberging,
und fürchten sich vor seiner Wiederkehr.

Weißt du von jenen Heiligen, mein Herr?

Sie fühlten auch verschloßne Klosterstuben
zu nahe an Gelächter und Geplärr,
so daß sie tief sich in die Erde gruben.

Ein jeder atmete mit seinem Licht
die kleine Luft in seiner Grube aus,
vergaß sein Alter und sein Angesicht
und lebte wie ein fensterloses Haus
und starb nichtmehr, als wär er lange tot.

Sie lasen selten; alles war verdorrt,
als wäre Frost in jedes Buch gekrochen,
und wie die Kutte hing von ihren Knochen,
so hing der Sinn herab von jedem Wort.
Sie redeten einander nichtmehr an,
wenn sie sich fühlten in den schwarzen Gängen,
sie ließen ihre langen Haare hängen,
und keiner wußte, ob sein Nachbarmann
nicht stehend starb.
In einem runden Raum,
wo Silberlampen sich von Balsam nährten,
versammelten sich manchmal die Gefährten
vor goldnen Türen wie vor goldnen Gärten
und schauten voller Mißtraun in den Traum
und rauschten leise mit den langen Bärten.

Ihr Leben war wie tausend Jahre groß,
seit es sich nichtmehr schied in Nacht und Helle;
sie waren, wie gewälzt von einer Welle,

zurückgekehrt in ihrer Mutter Schoß.
Sie saßen rundgekrümmt wie Embryos
mit großen Köpfen und mit kleinen Händen
und aßen nicht, als ob sie Nahrung fänden
aus jener Erde, die sie schwarz umschloß.

Jetzt zeigt man sie den tausend Pilgern, die
aus Stadt und Steppe zu dem Kloster wallen.
Seit dreimal hundert Jahren liegen sie,
und ihre Leiber können nicht zerfallen.
Das Dunkel häuft sich wie ein Licht das rußt
auf ihren langen lagernden Gestalten,
die unter Tüchern heimlich sich erhalten, –
und ihrer Hände ungelöstes Falten
liegt ihnen wie Gebirge auf der Brust.

Du großer alter Herzog des Erhabnen:
hast du vergessen, diesen Eingegrabnen
den Tod zu schicken, der sie ganz verbraucht,
weil sie sich tief in Erde eingetaucht?
Sind die, die sich Verstorbenen vergleichen,
am ähnlichsten der Unvergänglichkeit?
Ist das das große Leben deiner Leichen,
das überdauern soll den Tod der Zeit?

Sind sie dir noch zu deinen Plänen gut?
Erhältst du unvergängliche Gefäße,
die du, der allen Maßen Ungemäße,
einmal erfüllen willst mit deinem Blut?

Du bist die Zukunft, großes Morgenrot
über den Ebenen der Ewigkeit.
Du bist der Hahnschrei nach der Nacht der Zeit,
der Tau, die Morgenmette und die Maid,
der fremde Mann, die Mutter und der Tod.

Du bist die sich verwandelnde Gestalt,
die immer einsam aus dem Schicksal ragt,
die unbejubelt bleibt und unbeklagt
und unbeschrieben wie ein wilder Wald.

Du bist der Dinge tiefer Inbegriff,
der seines Wesens letztes Wort verschweigt
und sich den Andern immer anders zeigt:
dem Schiff als Küste und dem Land als Schiff.

Du bist das Kloster zu den Wundenmalen.
Mit zweiunddreißig alten Kathedralen
und fünfzig Kirchen, welche aus Opalen
und Stücken Bernstein aufgemauert sind.
Auf jedem Ding im Klosterhofe
liegt deines Klanges eine Strophe,
und das gewaltige Tor beginnt.

In langen Häusern wohnen Nonnen,
Schwarzschwestern, siebenhundertzehn.
Manchmal kommt eine an den Bronnen,
und eine steht wie eingesponnen,
und eine, wie in Abendsonnen,
geht schlank in schweigsamen Alleen.

Aber die Meisten sieht man nie;
sie bleiben in der Häuser Schweigen
wie in der kranken Brust der Geigen
die Melodie, die keiner kann...

Und um die Kirchen rings im Kreise,
von schmachtendem Jasmin umstellt,
sind Gräberstätten, welche leise
wie Steine reden von der Welt.
Von jener Welt, die nichtmehr ist,
obwohl sie an das Kloster brandet,
in eitel Tag und Tand gewandet
und gleichbereit zu Lust und List.

Sie ist vergangen: denn du bist.

Sie fließt noch wie ein Spiel von Lichtern
über das teilnahmslose Jahr;
doch dir, dem Abend und den Dichtern
sind, unter rinnenden Gesichtern,
die dunkeln Dinge offenbar.

Die Könige der Welt sind alt
und werden keine Erben haben.
Die Söhne sterben schon als Knaben,
und ihre bleichen Töchter gaben
die kranken Kronen der Gewalt.

Der Pöbel bricht sie klein zu Geld,
der zeitgemäße Herr der Welt

dehnt sie im Feuer zu Maschinen,
die seinem Wollen grollend dienen;
aber das Glück ist nicht mit ihnen.

Das Erz hat Heimweh. Und verlassen
will es die Münzen und die Räder,
die es ein kleines Leben lehren.
Und aus Fabriken und aus Kassen
wird es zurück in das Geäder
der aufgetanen Berge kehren,
die sich verschließen hinter ihm.

Alles wird wieder groß sein und gewaltig.
Die Lande einfach und die Wasser faltig,
die Bäume riesig und sehr klein die Mauern;
und in den Tälern, stark und vielgestaltig,
ein Volk von Hirten und von Ackerbauern.

Und keine Kirchen, welche Gott umklammern
wie einen Flüchtling und ihn dann bejammern
wie ein gefangenes und wundes Tier, –
die Häuser gastlich allen Einlaßklopfern
und ein Gefühl von unbegrenztem Opfern
in allem Handeln und in dir und mir.

Kein Jenseitswarten und kein Schaun nach drüben,
nur Sehnsucht, auch den Tod nicht zu entweihn
und dienend sich am Irdischen zu üben,
um seinen Händen nicht mehr neu zu sein.

Auch du wirst groß sein. Größer noch als einer,
der jetzt schon leben muß, dich sagen kann.
Viel ungewöhnlicher und ungemeiner
und noch viel älter als ein alter Mann.

Man wird dich fühlen: daß ein Duften ginge
aus eines Gartens naher Gegenwart;
und wie ein Kranker seine liebsten Dinge
wird man dich lieben ahnungsvoll und zart.

Es wird kein Beten geben, das die Leute
zusammenschart. Du *bist* nicht im Verein;
und wer dich fühlte und sich an dir freute,
wird wie der Einzige auf Erden sein:
Ein Ausgestoßener und ein Vereinter,
gesammelt und vergeudet doch zugleich;
ein Lächelnder und doch ein Halbverweinter,
klein wie ein Haus und mächtig wie ein Reich.

Es wird nicht Ruhe in den Häusern, sei's
daß einer stirbt und sie ihn weitertragen,
sei es daß wer auf heimliches Geheiß
den Pilgerstock nimmt und den Pilgerkragen,
um in der Fremde nach dem Weg zu fragen,
auf welchem er dich warten weiß.

Die Straßen werden derer niemals leer,
die zu dir wollen wie zu jener Rose,
die alle tausend Jahre einmal blüht.

Viel dunkles Volk und beinah Namenlose,
und wenn sie dich erreichen, sind sie müd.

Aber ich habe ihren Zug gesehn;
und glaube seither, daß die Winde wehn
aus ihren Mänteln, welche sich bewegen,
und stille sind wenn sie sich niederlegen –:
so groß war in den Ebenen ihr Gehn.

So möcht ich zu dir gehn: von fremden Schwellen
Almosen sammelnd, die mich ungern nähren.
Und wenn der Wege wirrend viele wären,
so würd ich mich den Ältesten gesellen.
Ich würde mich zu kleinen Greisen stellen,
und wenn sie gingen, schaut ich wie im Traum,
daß ihre Kniee aus der Bärte Wellen
wie Inseln tauchen, ohne Strauch und Baum.

Wir überholten Männer, welche blind
mit ihren Knaben wie mit Augen schauen,
und Trinkende am Fluß und müde Frauen
und viele Frauen, welche schwanger sind.
Und alle waren mir so seltsam nah, –
als ob die Männer einen Blutsverwandten,
die Frauen einen Freund in mir erkannten,
und auch die Hunde kamen, die ich sah.

Du Gott, ich möchte viele Pilger sein,
um so, ein langer Zug, zu dir zu gehn,

und um ein großes Stück von dir zu sein:
du Garten mit den lebenden Alleen.
Wenn ich so gehe wie ich bin, allein, –
wer merkt es denn? Wer *sieht* mich zu dir gehn?
Wen reißt es hin? Wen regt es auf, und wen
bekehrt es dir?
Als wäre nichts geschehn,
– lachen sie weiter. Und da bin ich froh,
daß ich so gehe wie ich bin; denn so
kann keiner von den Lachenden mich sehn.

Bei Tag bist du das Hörensagen,
das flüsternd um die Vielen fließt;
die Stille nach dem Stundenschlagen,
welche sich langsam wieder schließt.

Jemehr der Tag mit immer schwächern
Gebärden sich nach Abend neigt,
jemehr bist du, mein Gott. Es steigt
dein Reich wie Rauch aus allen Dächern.

Ein Pilgermorgen. Von den harten Lagern,
auf das ein jeder wie vergiftet fiel,
erhebt sich bei dem ersten Glockenspiel
ein Volk von hagern Morgensegen-Sagern,
auf das die frühe Sonne niederbrennt:

Bärtige Männer, welche sich verneigen,
Kinder, die ernsthaft aus den Pelzen steigen,

und in den Mänteln, schwer von ihrem Schweigen,
die braunen Fraun von Tiflis und Taschkent.
Christen mit den Gebärden des Islam
sind um die Brunnen, halten ihre Hände
wie flache Schalen hin, wie Gegenstände,
in die die Flut wie eine Seele kam.

Sie neigen das Gesicht hinein und trinken,
reißen die Kleider auf mit ihrer Linken
und halten sich das Wasser an die Brust
als wärs ein kühles weinendes Gesicht,
das von den Schmerzen auf der Erde spricht.

Und diese Schmerzen stehen rings umher
mit welken Augen; und du weißt nicht wer
sie sind und waren. Knechte oder Bauern,
vielleicht Kaufleute, welche Wohlstand sahn,
vielleicht auch laue Mönche, die nicht dauern,
und Diebe, die auf die Versuchung lauern,
offene Mädchen, die verkümmert kauern,
und Irrende in einem Wald von Wahn –:
alle wie Fürsten, die in tiefem Trauern
die Überflüsse von sich abgetan.
Wie Weise alle, welche viel erfahren,
Erwählte, welche in der Wüste waren,
wo Gott sie nährte durch ein fremdes Tier;
Einsame, die durch Ebenen gegangen
mit vielen Winden an den dunklen Wangen,
von einer Sehnsucht fürchtig und befangen
und doch so wundersam erhöht von ihr.
Gelöste aus dem Alltag, eingeschaltet

in große Orgeln und in Chorgesang,
und Knieende, wie Steigende gestaltet;
Fahnen mit Bildern, welche lang
verborgen waren und zusammgefaltet:

Jetzt hängen sie sich langsam wieder aus.

Und manche stehn und schaun nach einem Haus,
darin die Pilger, welche krank sind, wohnen;
denn eben wand sich dort ein Mönch heraus,
die Haare schlaff und die Sutane kraus,
das schattige Gesicht voll kranker Blaus
und ganz verdunkelt von Dämonen.

Er neigte sich, als bräch er sich entzwei,
und warf sich in zwei Stücken auf die Erde,
die jetzt an seinem Munde wie ein Schrei
zu hängen schien und so als sei
sie seiner Arme wachsende Gebärde.

Und langsam ging sein Fall an ihm vorbei.

Er flog empor, als ob er Flügel spürte,
und sein erleichtertes Gefühl verführte
ihn zu dem Glauben seiner Vogelwerdung.
Er hing in seinen magern Armen schmal,
wie eine schiefgeschobne Marionette,
und glaubte, daß er große Schwingen hätte
und daß die Welt schon lange wie ein Tal
sich ferne unter seinen Füßen glätte.
Ungläubig sah er sich mit einem Mal

herabgelassen auf die fremde Stätte
und auf den grünen Meergrund seiner Qual.
Und war ein Fisch und wand sich schlank und schwamm
durch tiefes Wasser, still und silbergrau,
sah Quallen hangen am Korallenstamm
und sah die Haare einer Meerjungfrau,
durch die das Wasser rauschte wie ein Kamm.
Und kam zu Land und war ein Bräutigam
bei einer Toten, wie man ihn erwählt
damit kein Mädchen fremd und unvermählt
des Paradieses Wiesenland beschritte.

Er folgte ihr und ordnete die Tritte
und tanzte rund, sie immer in der Mitte,
und seine Arme tanzten rund um ihn.
Dann horchte er, als wäre eine dritte
Gestalt ganz sachte in das Spiel getreten,
die diesem Tanzen nicht zu glauben schien.
Und da erkannte er: jetzt mußt du beten;
denn dieser ist es, welcher den Propheten
wie eine große Krone sich verliehn.
Wir halten ihn, um den wir täglich flehten,
wir ernten ihn, den einstens Ausgesäeten,
und kehren heim mit ruhenden Geräten
in langen Reihen wie in Melodien.
Und er verneigte sich ergriffen, tief.

Aber der Alte war, als ob er schliefe,
und sah es nicht, obwohl sein Aug nicht schlief.

Und er verneigte sich in solche Tiefe,
daß ihm ein Zittern durch die Glieder lief.
Aber der Alte ward es nicht gewahr.

Da faßte sich der kranke Mönch am Haar
und schlug sich wie ein Kleid an einen Baum.
Aber der Alte stand und sah es kaum.

Da nahm der kranke Mönch sich in die Hände
wie man ein Richtschwert in die Hände nimmt,
und hieb und hieb, verwundete die Wände
und stieß sich endlich in den Grund ergrimmt.
Aber der Alte blickte unbestimmt.

Da riß der Mönch sein Kleid sich ab wie Rinde
und knieend hielt er es dem Alten hin.

Und sieh: er kam. Kam wie zu einem Kinde
und sagte sanft: Weißt du auch *wer ich bin*?
Das wußte er. Und legte sich gelinde
dem Greis wie eine Geige unters Kinn.

Jetzt reifen schon die roten Berberitzen,
alternde Astern atmen schwach im Beet.
Wer jetzt nicht reich ist, da der Sommer geht,
wird immer warten und sich nie besitzen.

Wer jetzt nicht seine Augen schließen kann,
gewiß, daß eine Fülle von Gesichten
in ihm nur wartet bis die Nacht begann,

um sich in seinem Dunkel aufzurichten: –
der ist vergangen wie ein alter Mann.

Dem kommt nichts mehr, dem stößt kein Tag mehr zu,
und alles lügt ihn an, was ihm geschieht;
auch du, mein Gott. Und wie ein Stein bist du,
welcher ihn täglich in die Tiefe zieht.

Du mußt nicht bangen, Gott. Sie sagen: *mein*
zu allen Dingen, die geduldig sind.
Sie sind wie Wind, der an die Zweige streift
und sagt: *mein* Baum.

Sie merken kaum,
wie alles glüht, was ihre Hand ergreift, –
so daß sie's auch an seinem letzten Saum
nicht halten könnten ohne zu verbrennen.

Sie sagen *mein*, wie manchmal einer gern
den Fürsten Freund nennt im Gespräch mit Bauern,
wenn dieser Fürst sehr groß ist und – sehr fern.
Sie sagen *mein* von ihren fremden Mauern
und kennen gar nicht ihres Hauses Herrn.
Sie sagen *mein* und nennen das Besitz,
wenn jedes Ding sich schließt, dem sie sich nahn,
so wie ein abgeschmackter Charlatan
vielleicht die Sonne sein nennt und den Blitz.
So sagen sie: mein Leben, meine Frau,
mein Hund, mein Kind, und wissen doch genau,
daß alles: Leben, Frau und Hund und Kind

fremde Gebilde sind, daran sie blind
mit ihren ausgestreckten Händen stoßen.
Gewißheit freilich ist das nur den Großen,
die sich nach Augen sehnen. Denn die Andern
wollens nicht hören, daß ihr armes Wandern
mit keinem Dinge rings zusammenhängt,
daß sie, von ihrer Habe fortgedrängt,
nicht anerkannt von ihrem Eigentume,
das Weib so wenig *haben* wie die Blume,
die eines fremden Lebens ist für alle.

Falle nicht, Gott, aus deinem Gleichgewicht.
Auch der dich liebt und der dein Angesicht
erkennt im Dunkel, wenn er wie ein Licht
in deinem Atem schwankt, – besitzt dich nicht.
Und wenn dich einer in der Nacht erfaßt,
so daß du kommen mußt in sein Gebet:
Du bist der Gast,
der wieder weiter geht.

Wer kann dich halten, Gott? Denn du bist dein,
von keines Eigentümers Hand gestört,
so wie der noch nicht ausgereifte Wein,
der immer süßer wird, sich selbst gehört.

In tiefen Nächten grab ich dich, du Schatz.
Denn alle Überflüsse, die ich sah,
sind Armut und armsäliger Ersatz
für deine Schönheit, die noch nie geschah.

Aber der Weg zu dir ist furchtbar weit
und, weil ihn lange keiner ging, verweht.
O du bist einsam. Du bist Einsamkeit,
du Herz, das zu entfernten Talen geht.

Und meine Hände, welche blutig sind
vom Graben, heb ich offen in den Wind,
so daß sie sich verzweigen wie ein Baum.
Ich sauge dich mit ihnen aus dem Raum
als hättest du dich einmal dort zerschellt
in einer ungeduldigen Gebärde,
und fielest jetzt, eine zerstäubte Welt,
aus fernen Sternen wieder auf die Erde
sanft wie ein Frühlingsregen fällt.

Drittes Buch
Das Buch von der Armut und vom Tode

(1903)

Vielleicht, daß ich durch schwere Berge gehe
in harten Adern, wie ein Erz allein;
und bin so tief, daß ich kein Ende sehe
und keine Ferne: alles wurde Nähe
und alle Nähe wurde Stein.

Ich bin ja noch kein Wissender im Wehe, –
so macht mich dieses große Dunkel klein;
bist *Du* es aber: mach dich schwer, brich ein:
daß deine ganze Hand an mir geschehe
und ich an dir mit meinem ganzen Schrein.

Du Berg, der blieb da die Gebirge kamen, –
Hang ohne Hütten, Gipfel ohne Namen,
ewiger Schnee, in dem die Sterne lahmen,
und Träger jener Tale der Cyclamen,
aus denen aller Duft der Erde geht;
du, aller Berge Mund und Minaret
(von dem noch nie der Abendruf erschallte):

Geh ich in dir jetzt? Bin ich im Basalte
wie ein noch ungefundenes Metall?
Ehrfürchtig füll ich deine Felsenfalte,
und deine Härte fühl ich überall.

Oder ist das die Angst, in der ich bin?
die tiefe Angst der übergroßen Städte,
in die du mich gestellt hast bis ans Kinn?

O daß dir einer recht geredet hätte
von ihres Wesens Wahn und Abersinn.
Du stündest auf, du Sturm aus Anbeginn,
und triebest sie wie Hülsen vor dir hin...

Und willst du jetzt von mir: so rede recht, –
so bin ich nichtmehr Herr in meinem Munde,
der nichts als zugehn will wie eine Wunde;
und meine Hände halten sich wie Hunde
an meinen Seiten, jedem Ruf zu schlecht.

Du zwingst mich, Herr, zu einer fremden Stunde.

Mach mich zum Wächter deiner Weiten,
mach mich zum Horchenden am Stein,
gieb mir die Augen auszubreiten
auf deiner Meere Einsamsein;
laß mich der Flüsse Gang begleiten
aus dem Geschrei zu beiden Seiten
weit in den Klang der Nacht hinein.

Schick mich in deine leeren Länder,
durch die die weiten Winde gehn,
wo große Klöster wie Gewänder
um ungelebte Leben stehn.
Dort will ich mich zu Pilgern halten,
von ihren Stimmen und Gestalten
durch keinen Trug mehr abgetrennt,
und hinter einem blinden Alten
des Weges gehn, den keiner kennt.

Denn, Herr, die großen Städte sind
verlorene und aufgelöste;
wie Flucht vor Flammen ist die größte, –
und ist kein Trost, daß er sie tröste,
und ihre kleine Zeit verrinnt.

Da leben Menschen, leben schlecht und schwer,
in tiefen Zimmern, bange von Gebärde,
geängsteter denn eine Erstlingsherde;
und draußen wacht und atmet deine Erde,
sie aber sind und wissen es nicht mehr.

Da wachsen Kinder auf an Fensterstufen,
die immer in demselben Schatten sind,
und wissen nicht, daß draußen Blumen rufen
zu einem Tag voll Weite, Glück und Wind, –
und müssen Kind sein und sind traurig Kind.

Da blühen Jungfraun auf zum Unbekannten
und sehnen sich nach ihrer Kindheit Ruh;
das aber ist nicht da, wofür sie brannten,
und zitternd schließen sie sich wieder zu.
Und haben in verhüllten Hinterzimmern
die Tage der enttäuschten Mutterschaft,
der langen Nächte willenloses Wimmern
und kalte Jahre ohne Kampf und Kraft.
Und ganz im Dunkel stehn die Sterbebetten,
und langsam sehnen sie sich dazu hin;
und sterben lange, sterben wie in Ketten
und gehen aus wie eine Bettlerin.

Da leben Menschen, weißerblühte, blasse,
und sterben staunend an der schweren Welt.
Und keiner sieht die klaffende Grimasse,
zu der das Lächeln einer zarten Rasse
in namenlosen Nächten sich entstellt.

Sie gehn umher, entwürdigt durch die Müh,
sinnlosen Dingen ohne Mut zu dienen,
und ihre Kleider werden welk an ihnen,
und ihre schönen Hände altern früh.

Die Menge drängt und denkt nicht sie zu schonen,
obwohl sie etwas zögernd sind und schwach, –
nur scheue Hunde, welche nirgends wohnen,
gehn ihnen leise eine Weile nach.

Sie sind gegeben unter hundert Quäler,
und, angeschrien von jeder Stunde Schlag,
kreisen sie einsam um die Hospitäler
und warten angstvoll auf den Einlaßtag.

Dort ist der Tod. Nicht jener, dessen Grüße
sie in der Kindheit wundersam gestreift, –
der kleine Tod, wie man ihn dort begreift;
ihr eigener hängt grün und ohne Süße
wie eine Frucht in ihnen, die nicht reift.

O Herr, gieb jedem seinen eignen Tod.
Das Sterben, das aus jenem Leben geht,
darin er Liebe hatte, Sinn und Not.

Denn wir sind nur die Schale und das Blatt.
Der große Tod, den jeder in sich hat,
das ist die Frucht, um die sich alles dreht.

Um ihretwillen heben Mädchen an
und kommen wie ein Baum aus einer Laute,
und Knaben sehnen sich um sie zum Mann;
und Frauen sind den Wachsenden Vertraute
für Ängste, die sonst niemand nehmen kann.
Um ihretwillen *bleibt* das Angeschaute
wie Ewiges, auch wenn es lang verrann, –
und jeder, welcher bildete und baute,
ward Welt um diese Frucht, und fror und taute
und windete ihr zu und schien sie an.
In sie ist eingegangen alle Wärme
der Herzen und der Hirne weißes Glühn –:
Doch deine Engel ziehn wie Vogelschwärme,
und sie erfanden alle Früchte grün.

Herr: Wir sind ärmer denn die armen Tiere,
die ihres Todes enden, wennauch blind,
weil wir noch alle ungestorben sind.
Den gieb uns, der die Wissenschaft gewinnt,
das Leben aufzubinden in Spaliere,
um welche zeitiger der Mai beginnt.

Denn dieses macht das Sterben fremd und schwer,
daß es nicht *unser* Tod ist; einer der
uns endlich nimmt, nur weil wir keinen reifen.
Drum geht ein Sturm, uns alle abzustreifen.

Wir stehn in deinem Garten Jahr und Jahr
und sind die Bäume, süßen Tod zu tragen;
aber wir altern in den Erntetagen,
und so wie Frauen, welche du geschlagen,
sind wir verschlossen, schlecht und unfruchtbar.

Oder ist meine Hoffahrt ungerecht:
sind Bäume besser? Sind wir nur Geschlecht
und Schoß von Frauen, welche viel gewähren? –
Wir haben mit der Ewigkeit gehurt,
und wenn das Kreißbett da ist, so gebären
wir unsres Todes tote Fehlgeburt;
den krummen, kummervollen Embryo,
der sich (als ob ihn Schreckliches erschreckte)
die Augenkeime mit den Händen deckte
und dem schon auf der ausgebauten Stirne
die Angst von allem steht, was er nicht litt, –
und alle schließen so wie eine Dirne
in Kindbettkrämpfen und am Kaiserschnitt.

Mach Einen herrlich, Herr, mach Einen groß,
bau seinem Leben einen schönen Schoß,
und seine Scham errichte wie ein Tor
in einem blonden Wald von jungen Haaren,
und ziehe durch das Glied des Unsagbaren
den Reisigen, den weißen Heeresscharen,
den tausend Samen, die sich sammeln, vor.

Und eine Nacht gieb, daß der Mensch empfinge
was keines Menschen Tiefen noch betrat;

gieb eine Nacht: da blühen alle Dinge,
und mach sie duftender als die Syringe
und wiegender denn deines Windes Schwinge
und jubelnder als Josaphat.

Und gieb ihm eines langen Tragens Zeit
und mach ihn weit in wachsenden Gewändern,
und schenk ihm eines Sternes Einsamkeit,
daß keines Auges Staunen ihn beschreit,
wenn seine Züge schmelzend sich verändern.

Erneue ihn mit einer reinen Speise,
mit Tau, mit ungetötetem Gericht,
mit jenem Leben, das wie Andacht leise
und warm wie Atem aus den Feldern bricht.

Mach, daß er seine Kindheit wieder weiß;
das Unbewußte und das Wunderbare
und seiner ahnungsvollen Anfangsjahre
unendlich dunkelreichen Sagenkreis.

Und also heiß ihn seiner Stunde warten,
da er den Tod gebären wird, den Herrn:
allein und rauschend wie ein großer Garten,
und ein Versammelter aus fern.

Das letzte Zeichen laß an uns geschehen,
erscheine in der Krone deiner Kraft,
und gieb uns jetzt (nach aller Weiber Wehen)
des Menschen ernste Mutterschaft.

Erfülle, du gewaltiger Gewährer,
nicht jenen Traum der Gottgebärerin, –
richt auf den Wichtigen: den Tod-Gebärer,
und führ uns mitten durch die Hände derer,
die ihn verfolgen werden, zu ihm hin.
Denn sieh, ich sehe seine Widersacher,
und sie sind mehr als Lügen in der Zeit, –
und er wird aufstehn in dem Land der Lacher
und wird ein Träumer heißen: denn ein Wacher
ist immer Träumer unter Trunkenheit.

Du aber gründe ihn in deine Gnade,
in deinem alten Glanze pflanz ihn ein;
und mich laß Tänzer dieser Bundeslade,
laß mich den Mund der neuen Messiade,
den Tönenden, den Täufer sein.

Ich will ihn preisen. Wie vor einem Heere
die Hörner gehen, will ich gehn und schrein.
Mein Blut soll lauter rauschen denn die Meere,
mein Wort soll süß sein, daß man sein begehre,
und doch nicht irre machen wie der Wein.

Und in den Frühlingsnächten, wenn nicht viele
geblieben sind um meine Lagerstatt,
dann will ich blühn in meinem Saitenspiele
so leise wie die nördlichen Aprile,
die spät und ängstlich sind um jedes Blatt.

Denn meine Stimme wuchs nach zweien Seiten

und ist ein Duften worden und ein Schrein:
die eine will den Fernen vorbereiten,
die andere muß meiner Einsamkeiten
Gesicht und Seligkeit und Engel sein.

Und gieb, daß beide Stimmen mich begleiten,
streust du mich wieder aus in Stadt und Angst.
Mit ihnen will ich sein im Zorn der Zeiten,
und dir aus meinem Klang ein Bett bereiten
an jeder Stelle, wo du es verlangst.

Die großen Städte sind nicht wahr; sie täuschen
den Tag, die Nacht, die Tiere und das Kind;
ihr Schweigen lügt, sie lügen mit Geräuschen
und mit den Dingen, welche willig sind.

Nichts von dem weiten wirklichen Geschehen,
das sich um dich, du Werdender, bewegt,
geschieht in ihnen. Deiner Winde Wehen
fällt in die Gassen, die es anders drehen,
ihr Rauschen wird im Hin- und Wiedergehen
verwirrt, gereizt und aufgeregt.

Sie kommen auch zu Beeten und Alleen –:

Denn Gärten sind, – von Königen gebaut,
die eine kleine Zeit sich drin vergnügten
mit jungen Frauen, welche Blumen fügten

zu ihres Lachens wunderlichem Laut.
Sie hielten diese müden Parke wach;
sie flüsterten wie Lüfte in den Büschen,
sie leuchteten in Pelzen und in Plüschen,
und ihrer Morgenkleider Seidenrüschen
erklangen auf dem Kiesweg wie ein Bach.

Jetzt gehen ihnen alle Gärten nach –
und fügen still und ohne Augenmerk
sich in des fremden Frühlings helle Gammen
und brennen langsam mit des Herbstes Flammen
auf ihrer Äste großem Rost zusammen,
der kunstvoll wie aus tausend Monogrammen
geschmiedet scheint zu schwarzem Gitterwerk.

Und durch die Gärten blendet der Palast
(wie blasser Himmel mit verwischtem Lichte),
in seiner Säle welke Bilderlast
versunken wie in innere Gesichte,
fremd jedem Feste, willig zum Verzichte
und schweigsam und geduldig wie ein Gast.

Dann sah ich auch Paläste, welche leben;
sie brüsten sich den schönen Vögeln gleich,
die eine schlechte Stimme von sich geben.
Viele sind reich und wollen sich erheben, –
aber die Reichen *sind* nicht reich.

Nicht wie die Herren deiner Hirtenvölker,
der klaren, grünen Ebenen Bewölker

wenn sie mit schummerigem Schafgewimmel
darüber zogen wie ein Morgenhimmel.
Und wenn sie lagerten und die Befehle
verklungen waren in der neuen Nacht,
dann wars, als sei jetzt eine andre Seele
in ihrem flachen Wanderland erwacht –:
die dunklen Höhenzüge der Kamele
umgaben es mit der Gebirge Pracht.

Und der Geruch der Rinderherden lag
dem Zuge nach bis in den zehnten Tag,
war warm und schwer und wich dem Wind nicht aus.
Und wie in einem hellen Hochzeitshaus
die ganze Nacht die reichen Weine rinnen:
so kam die Milch aus ihren Eselinnen.

Und nicht wie jene Scheichs der Wüstenstämme,
die nächtens auf verwelktem Teppich ruhten,
aber Rubinen ihren Lieblingsstuten
einsetzen ließen in die Silberkämme.

Und nicht wie jene Fürsten, die des Golds
nicht achteten, das keinen Duft erfand,
und deren stolzes Leben sich verband
mit Ambra, Mandelöl und Sandelholz.

Nicht wie des Ostens weißer Gossudar,
dem Reiche eines Gottes Recht erwiesen;
er aber lag mit abgehärmtem Haar,
die alte Stirne auf des Fußes Fliesen,

und weinte, – weil aus allen Paradiesen
nicht *eine* Stunde seine war.

Nicht wie die Ersten alter Handelshäfen,
die sorgten, wie sie ihre Wirklichkeit
mit Bildern ohnegleichen überträfen
und ihre Bilder wieder mit der Zeit;
und die in ihres goldnen Mantels Stadt
zusammgefaltet waren wie ein Blatt,
nur leise atmend mit den weißen Schläfen ...

Das waren Reiche, die das Leben zwangen
unendlich weit zu sein und schwer und warm.
Aber der Reichen Tage sind vergangen,
und keiner wird sie dir zurückverlangen,
nur mach die Armen endlich wieder arm.

Sie sind es nicht. Sie sind nur die Nicht-Reichen,
die ohne Willen sind und ohne Welt;
gezeichnet mit der letzten Ängste Zeichen
und überall entblättert und entstellt.

Zu ihnen drängt sich aller Staub der Städte,
und aller Unrat hängt sich an sie an.
Sie sind verrufen wie ein Blatternbette,
wie Scherben fortgeworfen, wie Skelette,
wie ein Kalender, dessen Jahr verrann, –
und doch: wenn deine Erde Nöte hätte:
sie reihte sie an eine Rosenkette
und trüge sie wie einen Talisman.

Denn sie sind reiner als die reinen Steine
und wie das blinde Tier, das erst beginnt,
und voller Einfalt und unendlich Deine
und wollen nichts und brauchen nur das *Eine*:

so arm sein dürfen, wie sie wirklich sind.

Denn Armut ist ein großer Glanz aus Innen...

Du bist der Arme, du der Mittellose,
du bist der Stein, der keine Stätte hat,
du bist der fortgeworfene Leprose,
der mit der Klapper umgeht vor der Stadt.

Denn dein ist nichts, so wenig wie des Windes,
und deine Blöße kaum bedeckt der Ruhm;
das Alltagskleidchen eines Waisenkindes
ist herrlicher und wie ein Eigentum.

Du bist so arm wie eines Keimes Kraft
in einem Mädchen, das es gern verbürge
und sich die Lenden preßt, daß sie erwürge
das erste Atmen ihrer Schwangerschaft.

Und du bist arm: so wie der Frühlingsregen,
der selig auf der Städte Dächer fällt,
und wie ein Wunsch, wenn Sträflinge ihn hegen
in einer Zelle, ewig ohne Welt.
Und wie die Kranken, die sich anders legen

und glücklich sind; wie Blumen in Geleisen
so traurig arm im irren Wind der Reisen;
und wie die Hand, in die man weint, so arm...

Und was sind Vögel gegen dich, die frieren,
was ist ein Hund, der tagelang nicht fraß,
und *was* ist gegen dich das Sichverlieren,
das stille lange Traurigsein von Tieren,
die man als Eingefangene vergaß?

Und alle Armen in den Nachtasylen,
was sind sie gegen dich und deine Not?
Sie sind nur kleine Steine, keine Mühlen,
aber sie mahlen doch ein wenig Brot.

Du aber bist der tiefste Mittellose,
der Bettler mit verborgenem Gesicht;
du bist der Armut große Rose,
die ewige Metamorphose
des Goldes in das Sonnenlicht.

Du bist der leise Heimatlose,
der nichtmehr einging in die Welt:
zu groß und schwer zu jeglichem Bedarfe.
Du heulst im Sturm. Du bist wie eine Harfe,
an welcher jeder Spielende zerschellt.

Du, der du weißt, und dessen weites Wissen
aus Armut ist und Armutsüberfluß:
Mach, daß die Armen nichtmehr fortgeschmissen

und eingetreten werden in Verdruß.
Die andern Menschen sind wie ausgerissen;
sie aber stehn wie eine Blumen-Art
aus Wurzeln auf und duften wie Melissen
und ihre Blätter sind gezackt und zart.

Betrachte sie und sieh, was ihnen gliche:
sie rühren sich wie in den Wind gestellt
und ruhen aus wie etwas, was man hält.
In ihren Augen ist das feierliche
Verdunkeltwerden lichter Wiesenstriche,
auf die ein rascher Sommerregen fällt.

Sie sind so still; fast gleichen sie den Dingen.
Und wenn man sich sie in die Stube lädt,
sind sie wie Freunde, die sich wiederbringen,
und gehn verloren unter dem Geringen
und dunkeln wie ein ruhiges Gerät.

Sie sind wie Wächter bei verhängten Schätzen
die sie bewahren, aber selbst nicht sahn, –
getragen von den Tiefen wie ein Kahn,
und wie das Leinen auf den Bleicheplätzen
so ausgebreitet und so aufgetan.

Und sieh, wie ihrer Füße Leben geht:
wie das der Tiere, hundertfach verschlungen
mit jedem Wege; voll Erinnerungen

an Stein und Schnee und an die leichten, jungen
gekühlten Wiesen, über die es weht.

Sie haben Leid von jenem großen Leide,
aus dem der Mensch zu kleinem Kummer fiel;
des Grases Balsam und der Steine Schneide
ist ihnen Schicksal, – und sie lieben beide
und gehen wie auf deiner Augen Weide
und so wie Hände gehn im Saitenspiel.

Und ihre Hände sind wie die von Frauen,
und irgendeiner Mutterschaft gemäß;
so heiter wie die Vögel wenn sie bauen, –
im Fassen warm und ruhig im Vertrauen,
und anzufühlen wie ein Trinkgefäß.

Ihr Mund ist wie der Mund an einer Büste,
der nie erklang und atmete und küßte
und doch aus einem Leben das verging
das alles, weise eingeformt, empfing
und sich nun wölbt, als ob er alles wüßte –
und doch nur Gleichnis ist und Stein und Ding...

Und ihre Stimme kommt von ferneher
und ist vor Sonnenaufgang aufgebrochen,
und war in großen Wäldern, geht seit Wochen,
und hat im Schlaf mit Daniel gesprochen
und hat das Meer gesehn, und sagt vom Meer.

Und wenn sie schlafen, sind sie wie an alles
zurückgegeben was sie leise leiht,
und weit verteilt wie Brot in Hungersnöten
an Mitternächte und an Morgenröten,
und sind wie Regen voll des Niederfalles
in eines Dunkels junge Fruchtbarkeit.

Dann bleibt nicht *eine* Narbe ihres Namens
auf ihrem Leib zurück, der keimbereit
sich bettet wie der Samen jenes Samens,
aus dem du stammen wirst von Ewigkeit.

Und sieh: ihr Leib ist wie ein Bräutigam
und fließt im Liegen hin gleich einem Bache,
und lebt so schön wie eine schöne Sache,
so leidenschaftlich und so wundersam.
In seiner Schlankheit sammelt sich das Schwache,
das Bange, das aus vielen Frauen kam;
doch sein Geschlecht ist stark und wie ein Drache
und wartet schlafend in dem Tal der Scham.

Denn sieh: sie werden leben und sich mehren
und nicht bezwungen werden von der Zeit,
und werden wachsen wie des Waldes Beeren
den Boden bergend unter Süßigkeit.

Denn selig sind, die niemals sich entfernten
und still im Regen standen ohne Dach;

zu ihnen werden kommen alle Ernten,
und ihre Frucht wird voll sein tausendfach.

Sie werden dauern über jedes Ende
und über Reiche, deren Sinn verrinnt,
und werden sich wie ausgeruhte Hände
erheben, wenn die Hände aller Stände
und aller Völker müde sind.

Nur nimm sie wieder aus der Städte Schuld,
wo ihnen alles Zorn ist und verworren
und wo sie in den Tagen aus Tumult
verdorren mit verwundeter Geduld.

Hat denn für sie die Erde keinen Raum?
Wen sucht der Wind? Wer trinkt des Baches Helle?
Ist in der Teiche tiefem Ufertraum
kein Spiegelbild mehr frei für Tür und Schwelle?
Sie brauchen ja nur eine kleine Stelle,
auf der sie alles haben wie ein Baum.

Des Armen Haus ist wie ein Altarschrein.
Drin wandelt sich das Ewige zur Speise,
und wenn der Abend kommt, so kehrt es leise
zu sich zurück in einem weiten Kreise
und geht voll Nachklang langsam in sich ein.

Des Armen Haus ist wie ein Altarschrein.

Des Armen Haus ist wie des Kindes Hand.
Sie nimmt nicht, was Erwachsene verlangen;
nur einen Käfer mit verzierten Zangen,
den runden Stein, der durch den Bach gegangen,
den Sand, der rann, und Muscheln, welche klangen;
sie ist wie eine Waage aufgehangen
und sagt das allerleiseste Empfangen
langschwankend an mit ihrer Schalen Stand.

Des Armen Haus ist wie des Kindes Hand.

Und wie die Erde ist des Armen Haus:
Der Splitter eines künftigen Kristalles,
bald licht, bald dunkel in der Flucht des Falles;
arm wie die warme Armut eines Stalles, –
und doch sind Abende: da ist sie alles,
und alle Sterne gehen von ihr aus.

Die Städte aber wollen nur das Ihre
und reißen alles mit in ihren Lauf.
Wie hohles Holz zerbrechen sie die Tiere
und brauchen viele Völker brennend auf.

Und ihre Menschen dienen in Kulturen
und fallen tief aus Gleichgewicht und Maß,
und nennen Fortschritt ihre Schneckenspuren
und fahren rascher, wo sie langsam fuhren,
und fühlen sich und funkeln wie die Huren
und lärmen lauter mit Metall und Glas.

Es ist, als ob ein Trug sie täglich äffte,
sie können gar nicht mehr sie selber sein;
das Geld wächst an, hat alle ihre Kräfte
und ist wie Ostwind groß, und sie sind klein
und ausgeholt und warten, daß der Wein
und alles Gift der Tier- und Menschensäfte
sie reize zu vergänglichem Geschäfte.

Und deine Armen leiden unter diesen
und sind von allem, was sie schauen, schwer
und glühen frierend wie in Fieberkrisen
und gehn, aus jeder Wohnung ausgewiesen,
wie fremde Tote in der Nacht umher;
und sind beladen mit dem ganzen Schmutze,
und wie in Sonne Faulendes bespien, –
von jedem Zufall, von der Dirnen Putze,
von Wagen und Laternen angeschrien.

Und giebt es einen Mund zu ihrem Schutze,
so mach ihn mündig und bewege ihn.

O wo ist der, der aus Besitz und Zeit
zu seiner großen Armut so erstarkte,
daß er die Kleider abtat auf dem Markte
und bar einherging vor des Bischofs Kleid.
Der Innigste und Liebendste von allen,
der kam und lebte wie ein junges Jahr;
der braune Bruder deiner Nachtigallen,

in dem ein Wundern und ein Wohlgefallen
und ein Entzücken an der Erde war.

Denn er war keiner von den immer Müdern,
die freudeloser werden nach und nach,
mit kleinen Blumen wie mit kleinen Brüdern
ging er den Wiesenrand entlang und sprach.
Und sprach von sich und wie er sich verwende
so daß es allem eine Freude sei;
und seines hellen Herzens war kein Ende,
und kein Geringes ging daran vorbei.

Er kam aus Licht zu immer tieferm Lichte,
und seine Zelle stand in Heiterkeit.
Das Lächeln wuchs auf seinem Angesichte
und hatte seine Kindheit und Geschichte
und wurde reif wie eine Mädchenzeit.

Und wenn er sang, so kehrte selbst das Gestern
und das Vergessene zurück und kam;
und eine Stille wurde in den Nestern,
und nur die Herzen schrieen in den Schwestern,
die er berührte wie ein Bräutigam.

Dann aber lösten seines Liedes Pollen
sich leise los aus seinem roten Mund
und trieben träumend zu den Liebevollen
und fielen in die offenen Corollen
und sanken langsam auf den Blütengrund.

Und sie empfingen ihn, den Makellosen,
in ihrem Leib, der ihre Seele war.
Und ihre Augen schlossen sich wie Rosen,
und voller Liebesnächte war ihr Haar.

Und ihn empfing das Große und Geringe.
Zu vielen Tieren kamen Cherubim
zu sagen, daß ihr Weibchen Früchte bringe, –
und waren wunderschöne Schmetterlinge:
denn ihn erkannten alle Dinge
und hatten Fruchtbarkeit aus ihm.

Und als er starb, so leicht wie ohne Namen,
da war er ausgeteilt: sein Samen rann
in Bächen, in den Bäumen sang sein Samen
und sah ihn ruhig aus den Blumen an.
Er lag und sang. Und als die Schwestern kamen,
da weinten sie um ihren lieben Mann.

O wo ist er, der Klare, hingeklungen?
Was fühlen ihn, den Jubelnden und Jungen,
die Armen, welche harren, nicht von fern?

Was steigt er nicht in ihre Dämmerungen –
der Armut großer Abendstern.

Nachwort

An die Entstehung des *Stunden-Buch* erinnert sich Rilke, über ein Jahrzehnt später, so:

»Es ist lange her, ich wohnte damals in der Nähe Berlins, halb auf dem Lande, und war mit anderen Arbeiten beschäftigt. Da stellten sich mir, seit einer ganzen Zeit schon, morgens beim Erwachen oder an den Abenden, da man die Stille hörte, Worte ein, die aus mir austraten und im Recht zu sein schienen, Gebete, wenn man will, – ich hielt sie dafür, ja nicht einmal: ich sprach sie hin und ordnete mich an ihnen für das Unbekannte des Schlafs oder des beginnenden Tags. Aber endlich fiel mir die Stärke und das Wiedereinsetzen dieser inneren Diktate doch auf, ich begann eines Tages, Zeilen davon aufzuschreiben, das Aufschreiben selbst bestärkte und lockte die Eingebung, zu der unwillkürlichen Freude der inneren Bewegtheit kam die Lust an dem, was nun schon Arbeit war, und über diesem Eingehen auf eine innere Akustik bildete sich in steten Fortschritten das heraus, was Sie als das ›Buch vom mönchischen Leben‹ kennen. Die anderen Abschnitte sind später entstanden: da war es natürlich nicht mehr möglich, sich über die Entstehung zu täuschen, sie waren Arbeit vom ersten Augenblick an, aber diese Arbeit war niemals eine vorausgesehene oder beabsichtigte« (An Marlise Gerding, 14. 5. 1911).

Solche Mystifikation des dichterischen Schöpfungsaktes mag heute manchen Leser eigenartig anmuten – obwohl sie doch nichts anderes ist als Ausdruck für das jenseits von Bewusstsein wie Willen liegende ›je ne sais quoi‹, das zu jeder geistigen Produktion gehört. Richtig ist jedenfalls, dass alle drei Teile des *Stunden-Buch* in kurzen Phasen intensiver poetischer Inspiration entstanden sind: das *Erste Buch* zwischen dem 20. September und dem 14. Oktober 1899 in Berlin-Schmargendorf, das *Zweite Buch* zwischen dem 18. und dem 25. September 1901 in Westerwede, das *Dritte Buch* zwischen dem 13. und dem 20. April 1903 im norditalienischen Viareggio. (Rund zwei Jahre später, vom 24. April bis zum 16. Mai 1905, hat Rilke den Gesamttext für den Druck überarbeitet und im Dezember des gleichen Jahres im Insel-Verlag veröffentlicht.)

Und richtig und wichtig ist auch, dass sich Rilke, anders als viele seiner Leser, durchaus bewusst war, mit dem *Stunden-Buch* ein literarisches Werk geschaffen zu haben, das von aller orthodoxen Religion kategorisch geschieden war. Im gleichen Brief fährt er fort:

»von der Arbeit aus gesehen, hat es ‹*Das Stunden-Buch*› die Lust aller Kunst an sich selbst und ist dadurch anders als das Gebet, hat eine Eitelkeit, die das Gebet nicht besitzt. Aber was ist Gebet, – wissen wirs? Denken Sie, daß mir alle Frömmigkeit unbegreiflich oder gleichgültig ist, die nicht erfindet, die nachspricht, die innerhalb des Vorhandenen sich mit Hoffnungen und Preisgaben einrichtet. Das Verhältnis zu Gott setzt, so wie ich es einsehe, Produktivität, ja irgend ein, ich möchte sagen wenigstens privates ‹...› Genie der Erfindung voraus, das ich mir so weit getrieben denken kann, daß man auf einmal nicht begreift, was mit dem Namen Gott gemeint ist, sich ihn wiederholen, sich ihn vorsagen läßt ‹...›, nur um ihn ganz neu, irgendwo an seinem Ursprung, an seiner Quelle aufzusuchen. Dies ist etwa die Beimischung

Unglauben im Stundenbuch, Unglauben nicht aus Zweifel, sondern aus Nicht-wissen und Anfängerschaft.«

Trotz seiner Heterodoxie hat das *Stunden-Buch* Rilkes Ruhm als Dichter begründet – es war das erste seiner Bücher, das populär wurde (zu Lebzeiten des Autors erscheinen fünf Auflagen mit insgesamt 60.000 Exemplaren). Es hat aber auch in Rilkes Werk Epoche gemacht, weil es sein erster streng durchkomponierter Gedichtzyklus ist, der in seinem Motivinventar, seinen Bildern und Mythen, in seiner formalen Struktur und seiner Stilphysiognomie ein einheitliches poetisches Weltmodell entwirft. Die großen Gedichtbücher des Spätwerks, die *Duineser Elegien* und die *Sonette an Orpheus*, werden an dieses Werkkonzept anknüpfen.

Mit Nietzsche auf der Suche nach Gott?

›Stundenbücher‹ nennt man die Laienbreviere, die Gebete für bestimmte Zeiten des Tages sammeln; sie waren vom 12. bis ins 16. Jahrhundert weit verbreitet; am bekanntesten sind heute wohl noch die reich illustrierten und vielfältig ausgeschmückten französischen ›Livres d'heures‹. Besonders deutlich schließt Rilke sich an dieses Genre in der ersten Fassung des *Ersten Buches* an, wo er Entstehungszeit und -umstände der einzelnen Gedichte direkt benennt und ihnen damit einen in der Rezeption nachvollziehbaren ›Sitz im Leben‹ gibt (s. u. S. 141).

Doch auch ohne diese (im veröffentlichten Text ja fehlenden) Hinweise war die Rezeption des *Stunden-Buch* wesentlich durch seine fingierte Gattungszugehörigkeit geprägt: Generationen von Lesern – darunter auch Theologen – haben in ihm eine Art von Laienbrevier gesehen und seinen Autor zum unermüdlichen Gottsucher, zum großen ›homo religiosus‹ stilisiert.

Eine solche Lektüre hat indes ihre Schwierigkeiten, da Rilkes Gottesbegriff in vielfältiger Weise heterodox ist – und zwar so sehr, dass dem gläubigen Christen zahlreiche Passagen geradezu blasphemisch anmuten müssen. Rilke denkt Gott nicht als transzendent, sondern als ganz und gar immanent, als Gott der Erde, der »Tiefe« und des »Dunkels«; er denkt ihn nicht personal, sondern als Grund des Lebens, als in allem Werden und Vergehen pulsierende elementare Kraft und Bewegung – wie das Wachsen des Baums oder das Wehen des Windes. Daher kann jedes Ding für Gott einstehen – »man muß es ihm nur sagen« (wie es in den *Geschichten vom lieben Gott* heißt). Vor allem aber denkt Rilke Gott nicht als seiend, sondern als werdend, wobei sich dieses Werden Gottes zugleich mit dem Werden des je einzelnen Ich vollzieht: Dieses erschafft Gott jeweils neu als personales Du oder als dingliches Gegenüber und gibt dem per se Gestaltlosen so eine immer neue Gestalt. Zugleich aber spricht es sich in seinen ›Gebeten‹ aus, realisiert seine amorphen Wünsche und Ängste und entfaltet in dieser Gestaltung seine eigene Persönlichkeit, ja schafft vielleicht sogar – in der gemeinsamen Entwicklung vieler Einzelner – die Grundlage für ein neues, zukünftiges Ich- und Weltverhalten der Menschheit.

Solch manifeste Heterodoxien sind keineswegs der einzige Irritationsfaktor im *Stunden-Buch*: Mindestens eines der ›Gebete‹ (*Lösch mir die Augen aus*) ist nicht an Gott, sondern an die Geliebte Lou Andreas-Salomé (s. u. S. 130) gerichtet. Und umgekehrt finden sich in Rilkes frühen Briefen an Lou zahlreiche Stellen, die der Sprechweise des *Stunden-Buch* auffällig nahe stehen, etwa die folgende:

»Keine Blume, keinen Himmel und keine Sonne will ich sehen – außer in Dir. ‹. . .› Ich hab dich nie anders gesehen, als so, daß ich hätte beten mögen zu Dir. Ich hab Dich nie anders gehört, als so, daß ich hätte glauben mögen an Dich. Ich hab Dich nie anders ersehnt, als so, daß ich hätte leiden mögen um Dich. Ich habe Dich nie anders begehrt, als so, daß ich hätte knien dürfen vor Dir« (Brief vom 8. 6. 1897).

Schließlich sprechen gegen eine orthodox-religiöse Lesart des *Stunden-Buch* auch zahlreiche Stellen aus Rilkes frühen Tagebüchern, die in offensichtlicher Nähe zu Nietzsches berühmtem Diktum vom Tod Gottes stehen. Man vergleiche etwa die folgende Zitatreihe aus dem *Florenzer Tagebuch*:

»Gäbe es Götter, wir könnten es nie erfahren; denn daß wir um sie wissen, genügt, sie zu vernichten.« – »Wie die Ausdrücke jeder Sprache auf gemeinschaftlicher Vereinbarung beruhen, so bestimmte man auch das Wort ›Gott‹. Darin sollte alles sein, was irgendwie wirkte, ohne daß man es sonst zu nennen und zu erkennen vermochte. ‹. . .› Solange dieser Gott lebt, sind wir alle Kinder und unmündig. Er muß einmal sterben dürfen. Denn wir wollen selbst Väter werden. Aber er ist ja tot«. – »Die Religion ist die Kunst der Nichtschaffenden. Im Gebete werden sie produktiv: sie formen ihre Liebe und ihren

Dank und ihre Sehnsucht und befreien sich so. ‹. . .› Der Nichtkünstler muß eine Religion – im tiefinnern Sinn – besitzen, und sei es auch nur eine, die auf gemeinsamem und historischem Vereinbaren beruht. Atheist sein in seinem Sinne ist Barbar sein.«

Vieles davon könnte ganz ähnlich bei Nietzsche stehen, in dessen Werk auch mindestens zwei der Schlüsselmetaphern, die das *Stunden-Buch* für Gott verwendet, immer wieder auftauchen: die unergründliche, undenkbare und unsagbare ›Tiefe‹ (man denke an die berühmten Verse aus Zarathustras »trunkenem Lied«: »Die Welt ist tief,| und tiefer als der Tag gedacht«) ebenso wie das organisch-zyklische Wachsen und Vergehen, die ständige »Wiederkehr des Gleichen«.

Selbst das Passepartout ›Mystik‹ reicht da zur Erklärung wohl nicht mehr aus. Einige Interpreten haben sich daher in das gegenteilige – und nicht weniger problematische – Extrem geflüchtet und dem *Stunden-Buch* jede echte Religiosität abgesprochen: Künstler-Evangelium sei es, das nur vom Künstler, seinen Sehnsüchten, Werten und Problemen handle.

Will man beide Einseitigkeiten vermeiden, so bedarf es eines Konzepts, das es erlaubt, Rilkes Religiosität zugleich in ihrer Heterodoxie wie in ihrer Gläubigkeit ernst zu nehmen. Das ließe sich in Denkfiguren finden, die um 1800 kurrent waren (und auf vielfältige Weise – *auch* durch Nietzsche – an die nächste Jahrhundertwende tradiert wurden): So hatte etwa Schleiermacher in seiner berühmt-berüchtigten Schrift *Über die Religion. Reden an die Gebildeten unter ihren Verächtern* (1799) Religion als »Sinn und Geschmack für das Unendliche« umschrieben und definiert: »alles Einzelne als einen Teil des ganzen hinnehmen ‹...› das ist Religion«. Schleiermacher, die Brüder Schlegel und Novalis waren sich einig in der Ablehnung jeder dogmatischen Religion – und damit auch jedes bestimmten und gemeinsamen Gottes. Der Einzelne kann sich seinen Gott frei schaffen, alles kann ihm als dessen Bild, als »Mittler« zu ihm dienen: nicht nur Christus und Maria, sondern beispielsweise auch die eigene Geliebte (wie Novalis erklärt). Entscheidend ist nur, dass man sich in seinem Denken und Handeln auf *irgendeinen* Gott, einen absoluten Bezugs- und Einheitspunkt bezieht.

Philosophische Grundlage dieser Religiosität ist eine besondere Form des Pantheismus, die in der produktiven Rezeption Spinozas im späten 18. Jahrhundert entwickelt und in der romantischen Naturphilosophie Schellings vollendet wurde. Diesem ›objektiven Idealismus‹ gilt ein gemeinsamer Grund alles Seienden (ein »Absolutes«) als gleichermaßen denk- wie lebensnotwendig – doch weder durch Philosophie noch durch Wissenschaft erweisbar. So wächst der Dichtung die Aufgabe zu, einen solchen Einheitsgrund der Welt durch eine ›Neue Mythologie‹ plausibel erscheinen zu lassen, ihn quasi poetisch zu beglaubigen. ›Neu‹ ist diese Mythologie – die mitunter mit originellen, meist aber mit eklektisch gemischten und vielfach umgeformten Bildern aus dem Repertoire der ›alten‹ Mythologie arbeitet –, weil ihre Bilder nicht im einzelnen geglaubt werden müssen; in ständigen Metamorphosen deuten sie auf das hin, was kein einzelnes Bild adäquat ausdrücken kann. Als freie Kreation, die zugleich weiß, daß der Grund ihrer Kreativität die allem Seienden gemeinsame Schöpfungskraft ist, verbindet die ›Neue Mythologie‹ subjektive Freiheit mit einer Rückbindung des Individuums an das Ganze – und ist gerade darin ein Abbild des Kosmos als eines »gesetzlich organisierten Wechsels zwischen Individualität und Universalität« (Friedrich Schlegel, *Über die Philosophie*).

Übersetzt man dieses Konzept in die (eng verwandten) lebensphilosophischen Denkfiguren des späten 19. und frühen 20. Jahrhunderts, so erweist es sich als durchaus geeignet, alle Heterodoxien Rilkes plausibel zu erklären: die Gleichsetzung Gottes mit allem Seienden (aber auch mit der Geliebten), die Gleichsetzung Gottes mit jeder Form von Kreativität, auch der dunkelsten und leiblichsten – bereits 1898 hatte Rilke an den Gemälden von Félicien Rops die für sein eigenes Werk so folgenreiche Gleichsetzung von Gott und Sexualität entdeckt: »Gott, das Geschlecht« (*Der Salon der Drei*). Zugleich wird es möglich, die Einseitigkeiten einer ausschließlich ästhetizistischen Lesart Rilkes zu vermeiden: Die Kreativität des Künstlers ist für Rilke nur die reinste und stärkste Form einer Produktivität, die allem Leben zugrunde liegt. Und schließlich lässt sich auch die eigentümliche Verbindung von »Stolz« und »Demut« begreifen, die für das *Stunden-Buch* konstitutiv ist (s. u. S. 134 f.). Frömmigkeit gegenüber dem unverfügbaren Grund der eigenen Subjektivität lässt sich mit Stolz auf die aus diesem Grund abgeleitete kreative Potenz durchaus vereinbaren; in seiner Rezension von Hesses *Eine Stunde nach Mitternacht* schreibt Rilke: »Der Anfang der Kunst ist Frömmigkeit: Frömmigkeit gegen sich selbst, gegen jedes

Erleben, gegen alle Dinge, gegen ein großes Vorbild und die eigene unerprobte Kraft.«

Vor allem aber lassen sich vor dem skizzierten Hintergrund die Unverbindlichkeit aller *einzelnen* Bilder und die Verbindlichkeit einer religiösen Grundhaltung – als re-ligio, als Rückbindung alles Einzelnen an ein Ganzes – durchaus zusammendenken. Eine solche ›Rückbindung‹ ist auch für Rilke ebenso unerweislich wie notwendig – notwendig sowohl als Ermöglichungsgrund jeder Form von Gemeinschaft wie als Bedingung der Möglichkeit eines auf Weltvertrauen und Lebensbejahung zielenden Existenzentwurfs:

»Es ist eine sorglose Sicherheit in der einfachen Überzeugung, Teil einer Melodie zu sein, also einen bestimmten Raum zu Recht zu besitzen und eine bestimmte Pflicht an einem breiten Werke zu haben, in dem der Geringste ebensoviel wertet wie der Größte« (*Die Melodie der Dinge*).

Rilke und Russland

Erlebnishintergrund des *Stunden-Buch* und wichtigste Quelle für seine zentralen Motive waren Rilkes zwei Russland-Reisen. Beide unternahm er zusammen mit Lou Andreas-Salomé (1861-1937), der sicher wichtigsten unter den vielen Frauen in Rilkes Leben.

Als Rilke der hochgebildeten und emanzipierten Lou im Mai 1897 in München erstmals begegnet, ist die Ehefrau des Orientalisten Friedrich Carl Andreas (1846-1930) als Romanautorin und als Verfasserin philosophischer, religions- und kulturanalytischer Studien bereits wohletabliert; sie verfügt über vielfältige Kontakte zu Autoren, Künstlern und Philosophen der Zeit, nicht zuletzt zu Friedrich Nietzsche, der ebenso wie sein Freund Paul Rée um ihre Hand angehalten hatte. (Man kennt das berühmte Photo, das Nietzsche arrangiert hat: Lou steht auf einem Wagen, dem die beiden Männer vorgespannt sind, und schwingt eine – recht niedlich aussehende – Peitsche.) Jahre später wird Andreas-Salomé bei Sigmund Freud studieren und sich als erste Frau zur Psychoanalytikerin ausbilden lassen.

Man kann die Bedeutung Lous für Rilkes Entwicklung kaum überschätzen. Vier Jahre lang verbindet beide eine Beziehung, in der sich geistige, emotionale und nicht zuletzt auch sexuelle Intensität aufs glücklichste vereinigen. Lou vermittelt Rilke nicht nur neue Kontakte und Ideen, sondern, vor allem, eine neue Lebenshaltung, ein neues Vertrauen zum Leben, zur Natur, zur Körperlichkeit – und eben die Begegnung mit Russland.

Die erste Russland-Reise (25. 4. – 18. 6. 1899) – unternommen zusammen mit Lou Andreas-Salomé und ihrem Mann – führt Rilke nach Moskau und Petersburg; bei der zweiten (9. 5. – 22. 8. 1900) fahren er und Lou von Moskau in den Süden Russlands bis nach Kiew, dann mit Schiffen wolga-aufwärts nach Jarosláwl, zurück nach Moskau und weiter nach Petersburg, von wo Lou allein nach Finnland zu ihren Verwandten aufbricht. Beide Male kommt es zu vielfältigen Kontakten mit russischen Intellektuellen, Künstlern und Literaten – Tolstoi wird gleich mehrfach besucht. Die eigentlichen Höhepunkte der zweiten Reise sind jedoch zwei große Erfahrungen. Zum einen das Landschaftserlebnis der Wolgafahrt

(24. 6. – 2. 7. 1900), über das Rilke in seinem Tagebuch notiert:

»Auf der Wolga, diesem ruhig rollenden Meer, ‹. . .› ein breit-breiter Strom, hoher, hoher Wald an dem einen Ufer, an der anderen Seite tiefes Heideland, darin auch große Städte nur wie Hütten und Zelte stehen. – Man lernt alle Dimensionen um. Man erfährt: Land ist groß, Wasser ist etwas Großes, und groß vor allem ist der Himmel. Was ich bisher sah, war nur ein Bild von Land und Fluß und Welt. Hier aber ist alles selbst. – Mir ist, als hätte ich der Schöpfung zugesehen; wenige Worte für alles Sein, die Dinge in den Maßen Gottvaters . . .«

Das zweite Erlebnis war die Begegnung mit dem russischen Volk, so touristisch gemäßigt sie auch ausgefallen sein mag. In der Nähe Jarosláwls, im Dorf Kresto-Bogorodskoje, leben Lou und Rilke sogar drei Tage lang in einem Bauernhaus. Lou Andreas-Salomé berichtet davon in einem Brief vom 24. Juli 1900:

»Wir hatten uns ‹in Jaroslàwl› für einige Tage in der Umgebung niedergelassen, in einem kleinen Dorf, um das Leben, das wir vom Deck des Dampfers aus beobachtet hatten, noch besser kennenzulernen. ‹. . .› Dort fanden wir zu unserem Glück eine soeben erbaute Hütte. Die Hausfrau nahm uns freundlich auf. Sie überließ uns Strohsäcke, einen Eimer und eine Waschschüssel; sie bewirtete uns mit Eiern und Milch. Wunderbar! Was für ein Glück sich mit diesen einfachen Leuten zu unterhalten. Wir saßen auf dem kleinen Erdwall unserer Hütte wie Könige.«

Beide Reisen wurden von Lou und Rilke in gemeinsamen Studien vorbereitet, die zweite besonders gründlich:

Man las Bücher über russische Literatur, Kunst und Volksbräuche, Rilke hörte russische Kollegien an der Berliner Universität und erlernte die russische Sprache immerhin so gut, dass er Tschechows *Möwe* übersetzen konnte; später wird er noch das *Igor-Lied*, ein russisches Heldenepos, übertragen und acht russische Gedichte schreiben.

Motiviert waren die Russlandreisen zunächst einmal natürlich durch Lous russische Herkunft. Mindestens ebenso wichtig aber dürfte das allgemeine Interesse gewesen sein, das sich am Ende des 19. Jahrhunderts in Westeuropa für das russische Nachbarland entwickelt hatte, nicht zuletzt für dessen Literatur. Vor allem die Werke Tolstois und Dostojewskis erfreuten sich rasch wachsender Beliebtheit (wesentlich angeregt durch Melchior Vicomte de Vogüés populäres Buch *Le roman russe* von 1886, das auch Rilke las). So war Russland um 1900 für den Westeuropäer zu einem Ort der Sehnsucht geworden: Man sah in ihm das exemplarische Gegenbild zur eigenen Modernität und ihren Defiziten, ein Land der noch ungebrochenen geistigen Ordnungen und der ›tiefen‹, grundgütigen und leidensbereiten ›russischen Seele‹.

Lous und Rilkes Russland-Erlebnis bewegt sich ganz in diesem imagologischen Rahmen, also innerhalb der klischeehaften Vorstellungsbilder, die über das Land kursierten. Es ist geprägt von einem – mit Schiller zu sprechen – ganz und gar ›sentimentalischen‹ Interesse am ›Naiven‹, das das Andere ganz vor dem Hintergrund der eigenen Sehnsüchte und Verluste erlebt.

Rilke war sich durchaus darüber im Klaren, dass er die

russische Seele mit der eigenen suchte: Zum »Vertrauten« des »russischen Wesens« und zum »Verkünder seiner hundert Herrlichkeiten« zu werden sei ihm ganz natürlich, denn »ich fühle, daß die russischen Dinge die besten Bilder und Namen für meine persönlichen Gefühle und Geständnisse sind. Und daß ich mit ihnen – sobald ich sie nur gründlich erfaßt habe – Alles aussprechen werde, was in meiner Kunst nach Klang und Klarheit drängt.« So schreibt er am 9. 6. 1899 an Jelena Woronina – und ähnlich an andere russische Bekannte, vor allem an die liberal eingestellten ›Westler‹ unter ihnen, die die Touristen so schonend wie möglich auf Missstände und Reformdefizite aufmerksam zu machen suchen.

Rilke aber faszinierte Russland gerade als das schlechthin vormoderne Land: »Der Westen hat sich in der Renaissance, in der Reformation, in Revolutionen und Königreichen, wie in einem einzigen Augenblick entfaltet ‹. . .›, während neben ihm, in dem Reiche Ruriks, noch der erste Tag dauert, der Tag Gottes, der Schöpfungstag« (*Russische Kunst*). Daher ist das russische Volk noch unberührt von allen modernen Philosophemen, aller Wissenschaftlichkeit, aller einseitig empirischen und soziologischen Weltsicht: ein »vorgiotteskes Volk«, »dessen alle Erlebnisse religiöser Natur sind« (ebd.). Und eben deswegen leben seine Menschen noch in Einklang mit sich und der Welt, sind, frei von jeder modernen Verdrängung, im Leben zu Hause.

Diese »eigentümliche Weite des russischen Charakters« ist ganz in Rilkes Sinne: eine »sorglose Hingabe an alle Inhalte des Lebens, auch an die fremdesten, diese werdende Weltanschauung einsamer Menschen, die sich von Gegensatz zu Gegensatz erstreckt, alle Mächte und Meinungen begreift und etwas Hintergrundhaftes, Tiefes auch noch hinter jenen Schicksalen behält, die uns den Himmel verdecken« (*Russische Kunst*).

In einem solchen Weltvertrauen sieht Rilke die elementare Form des Menschseins, die sich mit elementarer Sozialität verbindet, einem geradezu unwillkürlichen »Mitleiden«, »Lieben« und »Helfen« (*Moderne Russische Kunstbestrebungen*). Da Russland sich diese reine Menschlichkeit bewahrt hat, gilt es ihm auch als das Land der Zukunft, als die Geburtsstätte des neuen Menschen – auch das eine in der Zeit gängige Idee: Noch Georg Lukács wird in seiner 1914/15 geschriebenen *Theorie des Romans* in Dostojewski den Vorboten eines neuen Epos sehen, in dem sich der moderne Weltriss zwischen Außenwelt und Innerlichkeit geschlossen hat.

Am eigenständigsten ist Rilkes Russland-Bild jedoch gerade dort, wo es am sentimentalischsten ist: Für ihn erschöpft sich die ›russische Seele‹ nicht in hingegebener Passivität – sie ist zugleich aktiv und kreativ. Das ergibt eine eigentümliche Dialektik von »Stolz und Demut«, in der »Sich-Verneigen« »eine Gebärde der Macht und der Milde zugleich« ist: »Etwas, was sich nur mittelbar auf Bilder und Kreuze bezieht und für sich eine Bedeutung und Beziehung hat zu dem, der es tut, zu seiner Sehnsucht, zu seiner Liebe, zu dem Erleben seines Gemütes« (An Jelena Woronina, 27. 7. 1899). Über die seit Herder und der Romantik gängige Auffassung von der ›poetischen‹ Existenz ursprünglich lebender Völker noch hinausgehend, wird damit russische Frömmigkeit als kreativer Akt interpretiert, als unbewusstes Hervorbringen eines nicht seienden, sondern immer werdenden Gottes – wesentlich gefördert durch eine nicht-realistische religiöse Kunst, die das Erfüllen der Bilder zur kreativen und individuellen Leistung des Betrachters macht (s. u. S. 139 ff.). Damit unterschiebt Rilke dem russischen Volk eben die heterodoxe Religiosität, die das *Stunden-Buch* prägt.

Das ›Stunden-Buch‹ und der Jugendstil

Die zweite wichtige Anregung für Rilkes *Stunden-Buch* war der Jugendstil, mit dessen Ausdrucksmitteln um 1900 so viele Künstler und Literaten die Weltflucht des Ästhetizismus zu überwinden suchten. Die Ziele dieser Kunstrichtung werden schon aus den Bestandteilen ihres Namens deutlich: ›Jugend‹ steht für eine neue Lebensbejahung und Lebenszuwendung im Sinne Nietzsches, die sich auf vielfältige Weise manifestiert: etwa in der Jugendbewegung, der Freikörperkultur, der Reformkost oder der (die Damenwelt vom Korsett erlösenden) Reformkleidung. ›Stil‹ meint sowohl eine Absage an die eklektische Stilmischung des Historismus wie an die veristische Stillosigkeit des Naturalismus, aber auch an den an Nuance und Augenblick verlorenen Impressionismus. Aus *einem* einfachen Grundprinzip heraus sollen alle Bereiche der Lebenswelt einer einheitlichen Durchformung unterworfen werden.

Wie so oft in der Moderne ist auch der Begriff des ›Jugendstils‹ in der bildenden Kunst wesentlich einfacher zu bestimmen als in der Literatur. Ein Jugenstil-Bild ist leicht zu erkennen: Seine Darstellungsweise ist typisiert und vereinfacht; Räumliches wird, durch Reduktion oder Aufhebung der Perspektivik, in die Fläche gebannt. Vor allem aber gehorchen die Umrisslinien aller dargestellten Dinge und Personen einem einheitlichen Gestaltungsprinzip: der bekannten, asymmetrisch rhythmisierten ›Bandwurm-‹ oder ›Wellen-Linie‹.

Diese Linearisierung basiert auf einer ausgefeilten, heute weitgehend vergessenen Ornamentästhetik, in der der entscheidende Beitrag des Jugendstils zur ästhetischen Moderne liegt. Zu ihrem Verständnis verhilft das von Henry van de Velde (1863-1957) in seinem Aufsatz *Die Linie* (1910) geprägte Begriffspaar: ›Mitteilungs-‹ versus ›Gemütslinie‹. Die den Kontur des dargestellten Objekts nachzeichnende *Mitteilungslinie* ist das wichtigste Mittel realistischer Wiedergabe. Die *Gemütslinie* dagegen ist Gestalt gewordene Lebenskraft, Rhythmus des bewegten inneren Lebens: als Ausdrucksgebärde der zeichnenden Hand, als ornamental bewegte Form des Dargestellten und als Augen- und Gemütsbewegung des die Linie aufnehmenden Betrachters. In der Dominanz der Gemüts- über die Mitteilungslinie, die sich im Einzelfall bis zu deren expressiver Deformation steigern kann, liegt der entscheidende Beitrag des Jugendstils zur Geschichte der modernen ›abstrakten‹ Malerei.

Was ›Jugendstil‹ in der Literatur heißen soll, ist, wie gesagt, weit weniger klar. Mitunter wird der Begriff, sehr zu Unrecht, als vages Synonym zu ›Ästhetizismus‹ verwendet, mitunter wird er an einem Repertoire von Motiven festgemacht, die wegen ihrer natürlichen Affinität zur ›Wellenlinie‹ auch in der Malerei häufig verwendet werden: etwa die verschlungenen Pflanzen eines Parkes,

Schmetterlinge, Schwäne und Seerosen, Brunnenfontänen, Wellen, windbewegtes Haar, bestimmte Körperhaltungen und Gesten etc. Wenn das literarischer Jugendstil ist, dann nur in einer sehr schwachen Variante, da das in Sprache umgesetzte Motiv dessen ornamentale Umrisslinie ja allenfalls mittelbar herbeizitiert. Daß die Formensprache des malerischen Jugendstils sehr viel überzeugender in äquivalente Gestaltungsmittel der Literatur übersetzt werden kann, hat nicht zuletzt Rilke bewiesen – am gültigsten in der für die *Neuen Gedichte* entwickelten und im Spätwerk, vor allem den *Duineser Elegien* und den *Sonetten an Orpheus*, perfektionierten Poetik der ›Figur‹. Eine erste Vorstufe zu dieser abstrakten Gestaltungsweise aber stellt bereits die der Ornamentkunst des Jugendstils zutiefst verpflichtete Poetik des *Stunden-Buch* dar.

Dieses ist ›Text‹ im wörtlichsten Sinne (von lat. ›texere‹: weben, flechten), ein vielfältig verflochtenes Gewebe, in dem der ›Teppich des Lebens‹ poetische Gestalt gewinnt (eine in der Zeit nicht nur von Stefan George gebrauchte Metapher für die monistische Verflechtung aller Lebensprozesse). Dieser ›Teppich-Effekt‹ entsteht vor allem auf drei Ebenen:

1. Auf der Ebene von Klang und Rhythmus durch die Reim- und Klangbänder und den wiegenden, über Enjambements gleitenden Rhythmus des Textes, der reine Bewegung ist. Die Strophenform des *Stunden-Buch* beruht häufig auf etablierten vier- oder fünfhebigen Vierzeilern, die durch Reimwiederholungen nahezu beliebig erweitert werden können, so dass sie sich ganz dem an- und abschwellenden Rhythmus der Sprachbewegung an-

gleicht. In den *Neuen Gedichten* wird Rilke dieses Verfahren in der freien Behandlung der Sonettform und im sprachmimetisch Bewegungs›figuren‹ nachzeichnenden Gebrauch der Syntax weiter entwickeln.

2. Wie es die Jugendstil-Ästhetik fordert, korrespondieren dieser ›Gemütslinie‹ vielfältige ›Mitteilungslinien‹, vor allem das gestische Äquivalent des Betens. Nicht an den steif Knienden des westlichen Christentums ist dabei zu denken, sondern an die den ganzen Körper hin- und herwiegende Betbewegung, die Rilke in Russland beobachtet hat: »Ist das etwas nach außen Beabsichtigtes, wenn so ein russischer Bauer sich verneigt?, bewahre; er geht in die Kirche, und wie er sich neigt und neigt, beginnt er den Gott in sich zu wiegen, zu wiegen mit seiner Bewegung, wie ein Kind, das sich beruhigen soll« (An Jelena Woronina, 27. 7. 1899).

3. Auf thematischer Ebene entsteht der›Teppich‹-Effekt aus der Dreiecksrelation Gott – Ich – Dinge. Eine erste ›Verwebung‹ ergibt sich, wenn über die Grundformeln: »Ich bin . . .« und »Du bist . . .« mal das Ich, mal Gott metaphorisch mit den unterschiedlichsten, häufig aber auch mit den gleichen Dingen (vor allem Baum, Wald, Welle, Wind) identifiziert werden, so dass auch Gott und Ich in einen impliziten Bezug treten. Explizit gestaltet wird dieser Bezug, zweitens, durch eine Fülle von Kippstrukturen, in denen die hierarchischen, zeitlichen und räumlichen Relationen zwischen den Polen ›Ich‹ und ›Gott‹ ständig umgekehrt werden, so dass oben und unten, Gegenwart und Zukunft, Zentrum und Peripherie, Hinter- und Vordergrund ständig wechseln.

Erstes Buch: Das Buch vom mönchischen Leben

Im *Ersten Buch* ist die Rollenidentität des lyrischen Ich besonders deutlich entwickelt: Es spricht ein russischer Mönch, der zugleich Dichter und Ikonenmaler ist, in sich also Religion und Künstlertum verbindet.

Die russische, aus byzantinischen Vorbildern entwickelte Ikonenmalerei hat nicht nur Rilke fasziniert. In der frühen Moderne mit ihren ersten Ansätzen zu ›abstrakter‹ Gestaltung interessierte man sich für alle Kunstformen, die nicht der zentralperspektivischen, auf ›realistische‹ Illusionsbildung zielenden Traditionslinie zugehörten: für den japanischen Holzschnitt, für alle Formen ›primitiver‹ Kunst – und eben auch für die Ikonenmalerei. Von diesem Interesse zeugen beispielsweise die Werke Gustav Klimts im ›Goldenen Stil‹ – etwa das bekannte Gemälde *Der Kuß* (1908), in dem der goldene Hintergrund, die dekorativ-flächige Behandlung der Figuren und die aus dem aureolenhaften Hintergrund (wie aus aufgelegten Metallfolien) hervortretenden Gesichts- und Handpartien die Aktualisierbarkeit ikonenspezifischer Formmittel innerhalb der Bildästhetik des Jugendstils demonstrieren.

Rilke faszinierten vor allem drei Qualitäten der Ikone: (1) ihre Verbindung von Kunst und Religion, die Kunstwerke zu direkten Kultgegenständen macht und der Kunst eine in der westlichen Moderne längst verlorene metaphysische Würde und gemeinschaftsstiftende Funktion verleiht, sie zu einem Gebrauchsgut des täglichen Lebens macht, ohne sie zu trivialisieren; (2) ihre anti-realistische Stilisierung, die sich nicht an die Wiedergabe der empirischen Wirklichkeit verliert und den Betrachter zum Nach- und Mit-Schaffenden des Künstlers macht: »Unzählige Madonnen schaut das Volk in die hohlen Ikone hinein, und seine schöpferische Sehnsucht belebt beständig mit milden Gesichtern die leeren Ovale« (*Russische Kunst*); (3) schließlich die strenge Regelhaftigkeit der Ikonen-Malerei, auf die im ersten Teil des *Stunden-Buch* verschiedentlich angespielt wird.

Der letzte Punkt bedarf der Erläuterung: Was konnte Rilke, der sein Leben lang alle starren Formen gesprengt hat und der auch von der russischen Kunst seiner Zeit eine Synthese von Tradition und Modernität erwartete, an einer in einem vorgegebenen Regelkorsett erstarrten Kunstform fasziniert haben? Es mag wohl die Entlastungsfunktion gewesen sein, die eine als »schöne schlichte Schale« immer verfügbare »dauernde Form« für den Künstler hat (*Russische Kunst*). Deren Fehlen hatte schon Friedrich Schlegel beklagt: »Aus dem Innern herausarbeiten ‹. . .› muß der moderne Dichter, und viele haben es herrlich getan, aber bis jetzt nur jeder allein, jedes Werk wie eine neue Schöpfung von vorn an aus Nichts. ‹. . .› Es fehlt, behaupte ich, unsrer Poesie an einem Mittelpunkt, wie es die Mythologie für die der Alten war« (*Rede über die Mythologie*). In den *Marginalien zu Nietzsches ›Geburt der Tragödie‹* reflektiert Rilke ganz in diesem Sinne über die ästhetische Verwendbarkeit des »russischen Mythus«, der »allein der Menge noch nah genug steht«. Das *Stunden-Buch*, in dem er mit dem Rollen-Ich des russischen Ikonenmalers auch die Bildersprache von dessen östlicher Religiosität übernimmt, ist so etwas wie die Probe aufs Exempel. Allerdings wird Rilke am *Stunden-Buch* auch erfahren, dass Form- und Bildwelten in der Moderne nur noch auf Zeit bewohnbar sind.

Rilke hat das *Erste Buch* für den Druck besonders nachhaltig überarbeitet. Wichtiger als einige (wenige) Korrekturen, Ergänzungen und Streichungen war dabei die komplette Tilgung des umfangreichen ›Nebentextes‹ der ersten Fassung. Diese den Gedichten voraus- und/oder nachgestellten Prosapassagen nannten Datum und Entstehungsumstände, verselbständigten sich mitunter aber auch zum erläuternden Kommentar. So wurde etwa das Gedicht *Der blasse Abelknabe spricht* folgendermaßen eingeleitet:

»Als der Mönch die Bibel las an einem stürmischen Abende, da fand er, daß vor allem Tode die Ermordung Abels geschah. Und er erschrak tief im Herzen. Und der Mönch ging, da ihm sehr bange war, hinaus in den Wald und ließ alles Licht herein und allen Duft und die vielen frommen Geräusche des Waldes welche lauter sangen als seiner Gedanken wirre Reden waren. Und er hatte in einer nahen Nacht diesen Traum, für welche er Verse erfand.«

Nach dem Gedicht folgt die (dem tatsächlichen Entstehungsdatum entsprechende) Datierung: »(22. Sept. spät.)«. All diese Passagen hat Rilke vor der Veröffentlichung gestrichen – wahrscheinlich weil die beiden folgenden Bücher das lyrische Ich nicht mehr so eng an die Rolle des russischen Mönches binden.

Zweites Buch: Das Buch von der Pilgerschaft

Obwohl die ersten drei Gedichte einen direkten Anschluss an das *Erste Buch* herstellen, ist der rund zwei Jahre später entstandene zweite Teil von diesem thematisch und formal deutlich unterschieden. Die Ursachen dafür dürften zunächst einmal in Rilkes Biographie zu suchen sein: Die so euphorisch erlebte zweite Russland-Reise (s. o. S. 130 ff.) hatte in einer doppelten Enttäuschung geendet: Zum einen war Rilkes Beziehung zu Lou Andreas-Salomé in eine Krise geraten – am 26. Februar 1901 wird sie Lou mit einem *Letzter Zuruf* überschriebenen Brief förmlich beenden –; zum anderen schienen die neu gemachten Erfahrungen ohne dichterischen Ertrag zu bleiben. Auch die neuen Freundschaften im Worpsweder Malerkreis – vor allem zur Bildhauerin Clara Westhoff (1878-1954) und zur Malerin Paula Becker (1876-1907) – konnten nicht verhindern, dass Rilke sich in einer tiefen Lebens- und Schaffenskrise fühlte.

Das *Zweite Buch* entsteht in einer (freilich vielfach gefährdeten) Konsolidierungsphase: Reichlich überstürzt hatte Rilke Clara geheiratet (28. 3. 1901) und sich mit ihr in einem Westerweder Bauernhaus niedergelassen (Ende Mai 1901); am 12. Dezember 1901 wird ihre Tochter Ruth geboren. Trotz hektischer Anstrengungen Rilkes, mit allerlei Brotarbeit Geld zu verdienen, bleibt die finanzielle Lage des jungen Paares prekär. Zudem beginnen beide bald das eheliche Zusammenleben als Einschränkung ihrer künstlerischen Gestaltungsmöglichkeiten zu empfinden.

Im ersten Teil des *Stunden-Buch* hatte Rilke einen neuen poetischen Welt- und Lebensentwurf entwickelt; mit dem *Zweiten Buch* versucht er nun, das einmal etablierte Modell auf eine ganz aktuelle und persönliche Krisensituation anzuwenden – ein eindrucksvolles Beispiel für die enge Verflechtung von Leben und Dichten, die Rilkes Gesamtwerk auszeichnet.

War das *Erste Buch* von einer in sich kreisenden Bewegung, einem immer neu ansetzenden, die Pole der Welterfahrung immer neu miteinander verknüpfendem Hin und Her bestimmt, so steht das *Zweite Buch* – gemäß der Titelmetapher der Pilgerschaft – unter dem Formprinzip einer Weg-Ziel-Spannung. Seine Themen werden linear entfaltet (in längeren Gedichten und in Gedichtgruppen, die auf ein Thema zentriert und durch vielfache, meist anaphorische, Wiederholungen miteinander verkettet sind); seine Grundfigur ist der Weg von der Verzweiflung zur Erlösung.

Am Anfang des *Zweiten Buches* gestaltet Rilke – mit einer in seinem Werk neuen Härte und Konkretheit – Krisenzustände des lyrischen Ich. Der Text entfaltet eine ganze Phänomenologie der Entfremdung, die in ihrer (offensichtlich durch persönliche Erfahrungen beglaubigten Präzision) die Topik der früheren Décadence-Klagen weit hinter sich lässt: Ich-Dissoziation bis hin zum Wahnsinn, Feindseligkeit der Umwelt, schmerzhafte Heteronomieerfahrungen, unmittelbar kreatürliche Angst, durchwachte oder von Alpträumen geplagte Nächte. Gegen diesen Höllenkreis der Schrecken setzt das Ich (etwa vom Gedicht *Du bist der Alte* an) die russische Lebenswelt und die im *Ersten Buch* entwickelten Sprachgebärden, in deren wiegendem Rhythmus sich seine Angst beruhigt. So können im Schlussteil extreme Negativerfahrungen – der Wahnsinn (*Nachtwächter ist der Wahnsinn*), der Tod (*Weißt du*), das entfremdete Leben der Moderne (*Die Könige der Welt*), ja die völlige Auflösung des bewussten und selbstbeherrschten Ich (der epileptische Anfall in *Ein Pilgermorgen*) – ertragen und bejaht werden. Zu alldem bedarf es nur einer Akzentverschiebung: Auch im ersten Teil war ›Gott‹ ja eine zukünftige Größe, der Akzent lag aber auf der immer schon vorhandenen ›natürlichen‹ Einheit der Kräfte, die an ihm bauen. Nun wird der Akzent ganz auf den Weg zu Gott gelegt, der freilich »furchtbar weit« geworden ist (*In tiefen Nächten*).

Man kann so im *Buch von der Pilgerschaft* den ersten Härtetest sehen, dem Rilkes früher Monismus unterworfen wird – einen Härtetest, den dieser hier eben noch besteht. Diese Krise des monistischen Weltbildes gründet keineswegs in grundsätzlichen Zweifeln an der vital gegründeten Einheit des Weltganzen – am Glauben an diese wird Rilke bis zu seinem Lebensende festhalten. Zweifelhaft wird jedoch die Stellung des Menschen, der – teils durch zivilisatorische Entwicklung, teils durch seine Fähigkeit zu Bewusstsein und Todeswissen – in qualitativ anderer Weise als alle anderen Dinge und Geschöpfe aus der Ordnung des Ganzen herauszufallen vermag.

Drittes Buch: Das Buch von der Armut und vom Tode

Am 26. August 1902 reist Rilke von Westerwede nach Paris, um dort eine Monographie über den Bildhauer Rodin zu schreiben, im November löst Clara den Westerweder Haushalt auf: Die Einrichtung wird verkauft, das Kind zu den Schwiegereltern in Pflege gegeben. Damit endet das kurze Intermezzo einer bürgerlich-familiären Existenz; von nun an – bis zur Übersiedelung ins einsame Muzot – wird Heimatlosigkeit, ständiges Reisen und Leben in kurzzeitig gemieteten Wohnungen oder als Gast wohlhabender Freunde und Gönner Rilkes Leben bestimmen.

Doch schon die erste Wahlheimat Paris – Rilke verbringt hier den Herbst und den Winter 1902/03, bis er Ende März, krank und verstört, fluchtartig nach Italien abreist – erweist sich als Ort der Schrecken. Die Gründe dafür sind vielfältig: Zu stark ist der Kontrast zwischen Russland und Worpswede einerseits und der »Hauptstadt der Moderne« (Benjamin) anderseits; nach der mit Lou, im Worpsweder Freundeskreis und mit Clara erlebten Gemeinschaft ist die jähe Einsamkeit schmerzlich, doppelt schmerzlich in einem fremden Land, dreifach schmerzlich in demütigenden, von ständigem Geldmangel erschwerten äußeren Lebensumständen; ein Übriges mag auch die literarische Vorprägung des Paris-Erlebnisses durch die düstere Welt von Baudelaires *Les Fleurs du mal* und *Le Spleen de Paris* getan haben.

In zahlreichen Briefen berichtet Rilke von dieser Bedrängnis, für die erst der *Malte* die gültigen Bilder finden wird:

»Paris ‹. . .› ist eine schwere, schwere, bange Stadt. Und die schönen Dinge, die da sind, machen mit ihrer strahlenden Ewigkeit doch nicht ganz gut, was man durch die Grausamkeit und Wirrheit der Gassen und die Unnatur der Gärten, Menschen und Dinge leiden muß. Paris hat für mein geängstigtes Gefühl etwas Unsäglich-Banges. Es hat sich ganz verloren, es rast wie ein bahnverirrter Stern auf irgendeinen schrecklichen Zusammenstoß zu. So müssen die Städte gewesen sein, von denen die Bibel erzählt, daß der Zorn Gottes hinter ihnen emporstieg, um sie zu überschütten und zu erschüttern« (An Otto Modersohn, 31. 12. 1902).

Als Rilke in Viareggio auf das poetische Weltmodell des *Stunden-Buch* zurückgreift, ist das zunächst einmal der Versuch, die Krisenbewältigung vom Herbst 1901 zu wiederholen.

»Hätte ich die Ängste, die ich so ‹in Paris› erlebte, *machen* können, hätte ich Dinge bilden können aus ihnen, wirkliche stille Dinge, die zu schaffen Heiterkeit und Freiheit ist und von denen, wenn sie sind, Beruhigung ausgeht, so wäre mir nichts geschehen. ‹. . .› Einmal gelang es, wenn auch nur für kurze Zeit. Als ich in Viareggio war; zwar brachen die Ängste dort los, mehr als vorher und überwältigten mich. Und das Meer, das nie schwieg, war zu viel für mich und verschüttete mich mit dem Lärm seiner Frühlingswellen. Aber es kam doch. Gebete sind dort entstanden, Lou, ein Buch Gebete« (An Lou Andreas-Salomé, 18. 7. 1903).

Da das existenzielle Fieber aber ins Lebensbedrohliche

gestiegen ist, musste das poetische Medikament nun in wesentlich höherer Dosis verabreicht werden – und selbst dann blieb die Wirkung zweifelhaft.

Zentralproblem des *Dritten Buches* ist die Frage nach dem ontologischen Status der modernen Lebenswelt: Im *Ersten Buch* wurde auch die historische, menschengemachte Welt noch als Emanation Gottes begriffen; im *Dritten Buch* deutet Rilke die Welt der Städte jedoch schlechterdings als Un-Natur, als Abfall von Gott. Und auch die Möglichkeiten, ein Ende dieses ›sündigen‹ Weltzustandes zu denken, sind vom poetischen Weltmodell des *Stunden-Buch* her begrenzt: Eigentlich kann nur die Apokalypse helfen, die die (warum nur?) verfehlte Schöpfung in den schöpferischen Urgrund zurücknimmt.

Um diesem Dilemma zu entgehen, ergänzt Rilke seinen dichterischen Weltentwurf durch zwei neue Mythen: den ›Tod-Gebärer‹ und den ›großen Armen‹. Mythopoesie war bereits der ›Gott‹ der ersten beiden Teile, doch blieb diese Erfindung noch so nahe an der etablierten christlichen Konvention, dass er (zumindest in exoterischer Lektüre) durchaus mit ihr verwechselt werden konnte. Nun versucht sich Rilke erstmals an freierer mythopoetischer Gestaltung (die freilich noch nicht sehr überzeugend ausfällt): Der ›Tod-Gebärer‹ ist eine offensichtlich Christus nach- und entgegengebildete Erlöser-Figur; der ›große Arme‹ der Schlussgedichte verbindet Elemente des Orpheus-Mythos mit Zügen des Heiligen Franz von Assisi (Giovanni Bernardone, 1181/82-1226, der, aus wohlhabender Familie stammend, sich nach lebensfroher Jugend zu einem Leben in Armut entschloss und 1209 den Orden der Franziskaner gründete; Rilke hatte die von Paul Sabatier verfasste Biographie des Heiligen *Vie de Saint François d'Assise* gelesen, die 1893 erschienen war).

Das Ziel solcher Mythopoesie ist klar: Es sollen überlebensgroße Idealgestalten aufgerichtet werden, die zugleich Hoffnung auf Veränderung begründen und dieser Veränderung einen Weg weisen – den Weg der ›wahren‹ Armut und des ›eigenen Todes‹. (Mit dieser durch den dänischen Schriftsteller Jens Peter Jacobsen angeregten Formulierung ist nicht eine besondere Form des Sterbens gemeint – etwa ein ›schöner‹, verklärter Tod wie im *Cornet* –, sondern eine lebensweltliche Integration des Todes, die diesen das ganze Leben hindurch als ständige Präsenz begreift, als etwas, das mit dem Leben des Einzelnen und untrennbar von ihm heranwächst.)

Eine solche Doppelfunktion der mythopoetischen Figuren ist nicht unproblematisch: Wird ihr Abstand zum empirischen Ich zu groß, so schwächt das den Veränderungsimpuls, da Unerreichbares nur passiv erwartet, nicht aber aktiv angestrebt werden kann. Wird der Abstand zu klein – rückt man etwa die tatsächlichen Armen der Städte (die doch bloß »Nicht-Reiche« sind) zu nahe an die ›wahre‹ Armut des »braunen Bruders« –, so wird das Elend der großen Städte schon zum erreichten Ideal.

Solche Dilemmata zeigen, dass Rilke das poetische Weltmodell des *Stunden-Buch* über die Grenzen seiner Leistungsfähigkeit hinaus belastet hat. Überfordert ist nicht nur die religiöse, stark an die Bibel angelehnte Metaphorik (Rilke hat in Viareggio intensiv in der Bibel gelesen), sondern vor allem eine Poetik der Uneigentlichkeit, die ganz darauf eingerichtet war, in einem Tanz von Bildern empirisch Seiendes auf seinen Ur-Grund hin transparent zu machen – die sich aber wenig dazu eignet, Phänomene zu erfassen, denen ein solcher Grund ausdrücklich abgesprochen wird.

Solche durch das poetische Modell des *Stunden-Buch* vorgegebenen Grenzen wird man bedenken müssen, wenn man über seine Antworten auf die ›soziale Frage‹ richten will (was eine ganze Interpretengeneration inzwischen mit Leidenschaft getan hat). Fest steht in der Tat, dass Rilke nicht daran glaubte, die Übel der menschlichen Natur seien durch gesellschaftliche Reformen zu kurieren. In einem Brief an Hermann Pongs vom 21. Oktober 1924 schreibt er dazu:

»Ein menschlich Gleichgesinntes, ein Brüderliches ist mir freilich unwillkürlich und muß in meinem Wesen angelegt gewesen sein, sonst würde mich das Freiwerden dieser Eigenschaft unter dem Einfluß des russischen Beispiels nicht so tief und vertraulich ergriffen haben. Was aber eine solche freudige und natürliche Zuwendung vom Sozialen, wie wir es heute verstehen, durchaus unterscheidet, ist die völlige Unlust, ja Abneigung, irgend jemandes Lage zu verändern oder, wie man sich ausdrückt, zu verbessern. Niemandes Lage in der Welt ist so, daß sie seiner Seele nicht eigentümlich zustatten kommen könnte ... ‹...› Die Lage eines Menschen bessern wollen, setzt einen Einblick in seine Umstände voraus, wie nicht einmal der Dichter ihn besitzt, einer Figur gegenüber, die aus seiner eigenen Erfindung stammt. ‹...› Die Lage eines Menschen ändern, bessern wollen, heißt, ihm für Schwierigkeiten, in denen er geübt und erfahren ist, andere Schwierigkeiten anbieten, die ihn vielleicht noch ratloser finden. Wenn ich irgendwann die imaginären Stimmen des Zwerges oder des Bettlers in der Form meines Herzens ausgießen konnte, so war das Metall dieses Gusses nicht aus dem Wunsche gewonnen, der Zwerg oder der Bettler möchten es weniger schwer haben; im Gegenteil, nur durch eine Rühmung ihres unvergleichlichen Schicksals vermochte der zu ihnen plötzlich entschlossene Dichter wahr und gründlich zu sein, und er müßte nichts mehr fürchten und ablehnen als eine korrigierte Welt, darin die Zwerge gestreckt sind und die Bettler bereichert. ‹. . .› So habe ich auch das Gewissen rein von jedem Vorwurf, eine Ausflucht zu begehen, wenn ich für mein Gedicht, den Begriffen ›reich‹ und ›arm‹ gegenübergestellt, die berechtigte Unparteilichkeit des künstlerischen Ausdrucks ganz und gar in Anspruch nehme. Es kann nie meine Absicht gewesen sein, den Armen gegen den Reichen auszuspielen oder mich zu dem einen überzeugter zu bekennen als zu dem anderen. Wohl aber mag es mir aufgegeben gewesen sein, Armut und Reichtum eine Weile mit ihren reinsten Maßen zu messen, – denn wie sollte es, auch hier wieder, nicht dazu kommen, daß man beide rühmt, wenn man sie recht erkennt. In einer Welt, die das Göttliche in eine Art Anonymität aufzulösen versucht, mußte jene humanitäre Überschätzung platzgreifen, die von der menschlichen Hülfe erwartet, was sie nicht geben kann.«

Das ist ein ebenso problematischer, aber auch ebenso respektabler Standpunkt wie das gegenteilige Extrem eines unbegrenzten Vertrauens in die Veränderbarkeit und Perfektibilität des Menschen. Gegen manchen Buchstaben des *Dritten Buches* sollte man dem Autor aber schon einräumen, dass er sich prinzipiell über den Unterschied zwischen der von ihm geforderten geistigen Haltung der ›Armut‹ und einer Apotheose des real existierenden Elends durchaus im Klaren war. Gut zehn Jahre später hat er das auch klar gesagt:

»‹...› der heilige Franz, das ist viel, aber uns umfaßt es nicht mehr, die Armuth ist eines, handgreiflich wie ein Stein und ebenso hart, aber seither ist das Geld geistig geworden, weit über den greifbaren Besitz hinaus ein schwingendes, eindringliches, fast vom Besitzenden unabhängiges Element, eine Athmosphäre, die keinen Gegensatz mehr hat. Nun handelt sich's drum, zu diesem neuen ›Reichthum‹ die neue Armuth zu finden, alles das hat sich ja weit ins Unsichtbare hinein zurückgezogen ‹...› die richtige Armuth muß wieder von neuem innen in der Seele geboren werden und wird vielleicht gar nicht franziskanisch sein« (An Marie Taxis, 18. 5. 1914).

Manfred Engel

Alphabetisches Verzeichnis der Gedichtanfänge

Inhalt

ISBN 3-458-34385-7
9 783458 343851
DM 18.00
ab 01.01.2002
¤ 9.00